ナショナルチーム男子監督
中堀成生 監修

メイツ出版

普段のトレーニングから
試合を想定して取り組めば
どんな局面でも対応できる！

ソフトテニスのトレーニングする際には、一つひとつのプレーに狙いと目的を持って取り組むことが大切です。

本書は、トップ選手が普段から実践するトレーニングメニューを紹介していますが、選手たちは、ただ淡々と練習するのではなく実戦を意識して行っています。練習のための練習ではいけないのです。1本1本の打球や1つ1つの動きを、試合で起こりうる状況を想定しながら行うことが重要なのです。

普段のトレーニングから高い意識を持てば、どんな局面でも凌げる対応力が身につきます。

ここで紹介するトレーニングは、ソフトテニスで必須となる技術の習得に加え、前衛と後衛が同時にできる実戦練習、戦術練習も盛り込んでいます。トレーニングを進めていく中で、相手のどこを突けばポイントが取れるのか。どう試合を優位に進めれば勝利をつかむことができるかを考えながら、1つ1つのプレーを大切に行ってください。

中堀成生

CONTENTS

勝つ！ソフトテニス　最強トレーニング50
トップ選手が実践する練習メニュー　新版

Part4　サーブ＆レシーブ　85

※本書は2018年発行の『勝つ! ソフトテニス 最強トレーニング50 トップ選手が実践する練習メニュー』を「新版」として発売するにあたり、内容を確認し一部必要な修正を行ったものです。

本書の使い方

本書はソフトテニスの技術＆戦術の上達を目指すプレーヤー向けに、オススメのトレーニング方法を紹介しています。各トレーニングの進め方やポイントを「Step」で解説。各項目を見開き完結で説明していますので、習得したい項目からトレーニングを選んでください。

コツNo.
50項目のトレーニングのコツを紹介しています

トレーニング名
トレーニング種目名を記載しています

タイトル
具体的なやり方やポイントを解説しています

コツ 10 Part 2 ストローク

片脚でストローク練習・軸足

軸足を先に決めることでストロークが安定する

トレーニングのねらい 片脚立ちになるので、バランスをとるのが難しい。ラケットを持っていない方の腕をうまく使おう

片脚立ちになるので、バランスをとるのが難しい。ラケットを持っていない方の腕をうまく使おう

軸足を決めてから打つ。その感覚をつかむ

ストロークにおける基本的な足の運び方は、軸足を決めてからスイングとともに体重を前足に移動させていくというもの。つまり、軸足が決まらない限り、安定したストロークにはならないとも言える。

そこで軸足一本だけで立って打つことで、ストロークの第一歩が軸足であるということを身体で覚えよう。右利きならフォアハンドは右足、バックハンドは左足で行う。球出しはボールを近くから軽く投げてもらうだけでいい。インパクト後も前足は地面につけないようにする。

30

トレーニングの進め方 時間▶5分

Step 1 軸足に体重が乗っているのを意識してボールを待つ

3～4m離れたところから手でボールを投げてもらい、軸足だけで立って打つ。体重が一本の足に乗っている感覚をしっかり覚えておくこと

Step 2 バランスをとりながら片脚のまま振り抜く

スイングする過程で実際は前足に体重が移動していくが、ここでは軸足に残したままで。上体がブレないようにうまくバランスをとる

Step 3 バックハンドはバランス取りに注意する

バックハンドは前足より前でインパクトできない分、体勢が苦しいと感じるかもしれない。強いボールを打とうと思わず、身体の使い方を身につけること

中堀成生の ワンポイントアドバイス! POINT 1

片脚立ちが安定しない場合は、まず素振りだけやってみる。ラケットを持っていない腕でバランスをとろう

ココをCHECK!

□軸足だけで立ち、体重が乗っていることを意識できたか
□軸足だけ立ってボールを打てたか
□バックハンドでもうまく打てたか

31

本文
紹介しているトレーニングの概要です

Step
トレーニングの進め方やトレーニングのポイントを３つの流れで紹介。ここを押さえるだけでもOKです

ワンポイントアドバイス
監修者、中堀氏からの上達のためのワンポイントアドバイスです

ココをCHECK！
トレーニングの中で、できたことできなかったことをチェックして次の練習に結びつけましょう

Part 1

ウォーミングアップ

Part 1 ウォーミングアップ

ランニング＆ストレッチ①

怪我防止のための準備運動とストレッチ

トレーニングのねらい	ラケットを握る前には必ず準備運動をしよう。 関節や筋を入念にストレッチすることで、怪我の防止になる

まずは軽いランニングで体全体を温める。汗がにじむまでしっかりアップしよう

軽いランニング後にストレッチをする

ウォーミングアップはあらゆるスポーツの基本。とくにソフトテニスのような全身を使った激しい競技を行うときは、事前に十分な準備運動とストレッチをしておこう。軽いランニングで体を温めてから、ストレッチに入るのが効果的である。

手首や足首、首や腰をよく回し、靭帯やアキレス腱などの筋をしっかり伸ばすことで、怪我の防止につながる。寒い時期の練習前には、より入念なアップを行うこと。無意識にやるのではなく、ストレッチしている体の部位を意識することが大切だ。

トレーニングの進め方

Step 1

股ワリの要領で腰を深く落とす

屈伸など基本的なストレッチとともに、肉離れの予防となる内転筋のストレッチを行おう。両足を開いた股ワリの姿勢からお尻をゆっくりと下げる

Step 2

片足を抱えて立ち股関節を柔らかくする

足の裏が上を向くような形で両手で足を抱え、片脚立ちでバランスを取りながらケンケンする。股関節の柔軟性を高めるストレッチだ

Step 3

一方の太ももの前側と逆の太もも裏を伸ばす

片手で片方の足首を持って立つ。上体を前傾させ、手で持っている側の太ももの前側と、片脚立ちしている太ももの裏をしっかり伸ばす

中堀成生のワンポイントアドバイス！ POINT! 1

試合前はやや強めのアップで心拍数を一度上げておく。そうすることで試合中の急激な動きに順応できる

ココをCHECK!

- □体が温まるまでランニングをできたか
- □手首や足首などの関節をよく回し、筋を十分に伸ばしたか
- □体の部位をしっかり意識して行ったか

コツ 02 Part 1 ウォーミングアップ

ランニング＆ストレッチ②

肩甲骨を柔軟にすれば スイングスピードがつく

トレーニングのねらい	スイングのスピードやパワーを発揮するのに肩甲骨の柔軟性はとても大切。１人よりもペアになってストレッチすれば効果が増す

２人でストレッチを行うときは、互いに呼吸を合わせることが大切だ

肩甲骨の柔軟性が滑らかなスイングのカギ

１人でやりにくいストレッチは、２人でペアになって行おう。１人のときと同様にその都度、目的意識を持つようにしたい。なかでも、股関節とともにソフトテニスの上達のカギを握るのが肩甲骨。肩甲骨が柔らかいと可動域が広がり、すべてのスイングがスムーズになるからだ。

ストレッチ以外にも、スピード、アジリティ（巧緻性）、クイックネス（敏捷性）を養う“ＳＡＱトレーニング”や、ラダーを用いたフットワーク強化など、トレーニングはやり方次第でいくらでもある。

トレーニングの進め方

Step 1

肩甲骨が背中側に押される感覚を意識

ボールを投げるようなフォームで、同じ側の手のひらを合わせて互いに前に押し出す。同じように逆の腕でも行う

Step 2

背中やヒザの裏をゆっくり伸ばす

足を肩幅より広めに開いた状態で向かい合い、自分の両手を相手の両肩に置く。２人が同じタイミングでゆっくり上体を前傾させて背中を伸ばしていく

Step 3

練習や試合後はクールダウンを必ず

練習や試合の後は、疲労を残さないためにもクールダウンを行おう。ランニングやストレッチで約10分程度。ストレッチは反動をつけないで伸ばすように

中堀成生のワンポイントアドバイス！ POINT! 1

ＳＡＱトレーニングなど、ボールを用いないトレーニングもある。コートが使えない日にやってみよう

ココをCHECK!

- □肩甲骨周辺の柔軟性は高まったか
- □２人ペアのストレッチでは、相手のことを思いやりながらできたか
- □コートが使えない日も工夫できたか

Part 1　ウォーミングアップ

コツ03 でこぼこボール

でこぼこボールを使えば素早い動きが身につく

トレーニングのねらい	前後左右に素早く動く能力を身につけるために弾み方が不規則なでこぼこボールで瞬発力を養う

２人でペアになり、一方が投げたでこぼこボールをワンバウンドでキャッチ。交互に行おう

どの方向にも動けるように低い姿勢で準備しておく

素早い動きが要求されるソフトテニスには、反射神経や俊敏性が不可欠。それらを鍛えるのに有効なのが、でこぼこボールを使ったトレーニングだ。２人でペアになり、パートナーが投げたボールをワンバウンドでキャッチする。ただし、凹凸のあるでこぼこボールは、どの方向に弾むか予測できないため、バウンドするまでどんな方向にも動けるように準備しておき、ボールの動きを見てすぐにキャッチできる体勢に入る。ボールをつかんだら返球し、再び低い姿勢でボールを投げられるのを待つ。

トレーニングの進め方

Step 1

弾み方が予測できない でこぼこボールで練習

本書で使用したのは凹凸のついた変型ボール。「クレイジーボール」などの商品名で市販されており、どの方向に弾むかわからないのが特徴だ

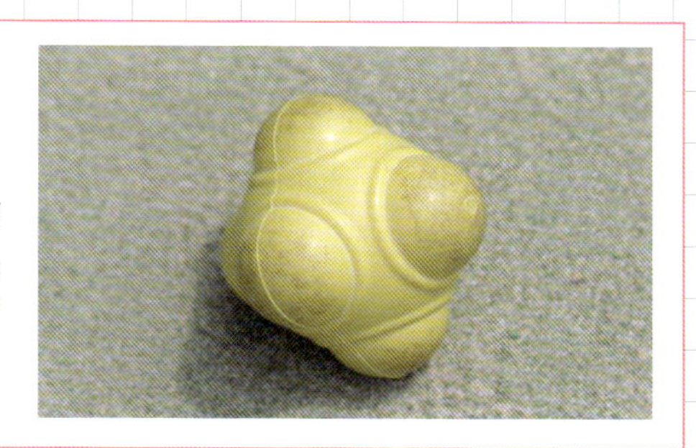

Step 2

相手と3～4m離れて 下からやさしく投げる

ボールを投げる側は、メインプレーヤーから３～４ｍほど離れ、下からやさしく投げる。キャッチして返球されたらまた投げる、という動きを何度か繰り返す

Step 3

ボールの動きをよく見て 確実にキャッチする

ボールを待つときの待球姿勢をイメージしながら低く構え、不規則にバウンドするボールをよく見てキャッチしよう。キャッチしたら素早く返球する

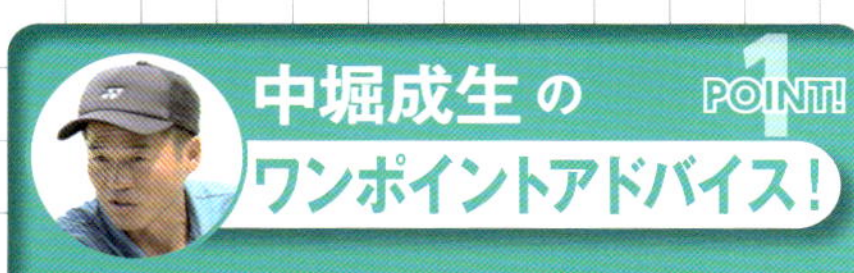

中堀成生の ワンポイントアドバイス！ POINT! 1

手だけでキャッチしようとせず、足を細かく動かして、なるべく体の正面でキャッチできるようにしよう

ココをCHECK!

- □ボールをよく見てキャッチできたか
- □フットワークを使って、体の正面でキャッチする意識を持てたか
- □返球後、すぐに待球姿勢に入れたか

キャッチボール

ボールやスイングの感覚はキャッチボールでつかむ

トレーニングのねらい	ボールを投げる動きとラケットを振るスイングは共通点が多い。野球のキャッチボールで体の動かし方を知ろう

最初はサービスライン付近に立って。徐々に距離を伸ばしたり、テンポを速めて投げ合う

利き腕ではない腕でも全身を使って投げる

ボールやスイングの感覚をつかんだり、いきなりラケットを使って肩を痛めないために有効なのが、キャッチボールである。2人1組でネットを挟んでサービスラインあたりに立ち、互いにボールを投げ合おう。利き腕ではない腕でも投げること。そのとき、ボールを持っていない利き腕をだらりと下げたままにしないように意識する。

ある程度投げたら、取って投げる動作を速め、スピーディなキャッチボールにしたり、ベースラインまで下がって遠投で投げ合うなど、バリエーションを工夫する。

トレーニングの進め方

Step 1

初めは短い距離で徐々に遠くしていく

短い距離から始め、徐々に互いの距離を広げていく。ベースラインまで下がると、相手にノーバウンドで届かせるのは難しいが、挑戦してみよう

Step 2

互いにテンポを速めリズムよく投げ合う

単調なゆっくりなリズムで投げ合うだけでなく、キャッチから投げるまでのテンポをアップさせてみる。足をきちんと動かしてフットワークは機敏にしよう

バランスをよくするために逆の腕でも投げる

利き腕だけでなく逆の腕でもボールを投げるとバランスがよくなる。そのとき、ボールを持っていない腕を前に出すよう動かし手投げにならないように注意する

中堀成生の ワンポイントアドバイス！ POINT! 1

ボールを持たない腕も使うことの大切さは、逆の腕を体につけたまま利き腕で投げてみるとよくわかる

ココ を CHECK!

- □ボールの感覚をつかめたか
- □速いテンポでキャッチボールできたか
- □利き腕とは逆の腕で、全身を使うイメージで投げられたか

素手テニス

素手テニスで意識するのは手をラケットだと思うこと

トレーニングのねらい	ゲーム感覚を取り入れた素手テニスで ウォーミングアップに加え、テニスに必要な動きを理解する

サービスコートだけ使ったり、コート全体を使ったり、ゲーム感覚で楽しくできる

手のひらで正確にとらえないとボールは飛ばない

片側のサービスコートだけを使って１対１、コート全体を使って４人対４人で、というように分かれ、ラケットを使わずに手のひらでボールを打ち合う。５点先取や１ゲームマッチで行うと、ゲーム感覚で楽しいウォーミングアップになる。

ただ、素手テニスではラケットで振る際のテイクバックやフォロースルーをしっかり行い、かつ、手のひらで正確にボールをとらえないと、ボールは遠くに飛ばない。自分の手がラケットになったとイメージして、フラットな面でボールを打とう。

トレーニングの進め方

Step 1

手がラケットになったとイメージしてテニスをする

手で打つときも飛んでくるボールの位置まできちんと足を運び、体重移動をしながら全身で打つ。ラケットより面が小さいのでボールをよく見る

Step 2

手打ちにならずに大きいスイングを心掛ける

テークバックからフォロースルーまで大きいスイングを心掛ける。手打ちにになったり最後まで振り切らないとボールは遠くに飛ばない

Step 3

積極的にネットに出てボレーをする

ネットに出てボレーにも挑戦してみよう。しっかり足を運んでボールにできるだけ近づく必要があるが、それが実際のボレーで役に立つ

中堀成生のワンポイントアドバイス！ POINT! 1

素手テニスでは、バックハンドをフォアと同じ面で打つのは難しい。最初は利き腕でない腕で打ってもOK

ココをCHECK!

□ボールをよく見て、手のひらできちんととらえられたか
□大きいスイングでボールを飛ばせたか
□ボレーも積極的にできたか

ソフトテニス用語集

ソフトテニスをプレーする上で
知っておくべき専門用語を紹介！
ここでは基本的な用語を解説する

▶オムニコート (omni court)
人工芝に砂を敷き詰めたコート。水はけが良いのが特徴。

▶ハードコート (hard court)
コンクリートやアスファルトのコート。ボールはよく弾むが、硬いため足腰への負担が大きい。

▶クレーコート (clay court)
粘土質の土に細かい砂を混ぜたコート。

▶前衛
主にネット付近でのプレーを専門に行うプレーヤー。ネットプレーヤーとも言う。

▶後衛
主にベースライン付近でのプレーを専門に行うプレーヤー。ベースラインプレーヤーとも言う。

▶ガット (gut)
ラケットのフレームに張る弦。動物の腸が本来の意で、ナチュラルストリングのこと。

▶グリップ (grip)
ラケットの握り。またその握り方。ウエスタングリップ、セミイースタングリップ、イースタングリップなどがある。

▶クロス (cross)
ボールがコートの対角線上に飛ぶこと。ネットに向かって左方向に打つのが正クロス。右方向に打つのが逆クロス。

▶ストレート (straight)
コートの縦のライン沿いのこと。またはそれに沿って飛ぶボール。クロスと対称して使われることが多い。

▶サービス (service)
相手側のサービスコートに向かって打つ、ポイントの最初のプレー。またその打球。サーブとも言う。

▶スタンス (stance)
ボールを打つときの足の位置や構えのこと。オープンスタンス、平行スタンス、クローズドスタンスなどがある。

▶ネットプレー (net play)
ボレーやスマッシュなど、ネット際で行われるプレーの総称。

▶リーチ (reach)
ボールに届く範囲。ネットプレーでの届く範囲を言うことが多い。

▶ポーチ (poach)
ダブルスで、味方の後衛が打つべきコースのボールを前衛が横から飛び出してボレーすること。

▶フラット (flat)
平面。ボールがラケットと垂直にあたること。

▶ラリー (rally)
ボールの打ち合い。乱打、連打とも言う。

▶フォーメーション (formation)
雁行陣や平行陣など、ダブルスにおける陣形や隊形のこと。

Part 2

ストローク

コツ 06

グリップ

プレーヤーが持ちやすいグリップで無理なく打つ

トレーニングのねらい	グリップの握り方は主に３種類。ただし、重要なのはプレーする本人が持ちやすく、無理なくボールを打てるかどうかだ

ラケットの持ち方に決まりはないが、基本的な握り方はマスターしておきたい

３種類のグリップには、それぞれ長所と短所がある

ラケットの握り方は、ストロークやボレーで使用する、もっとも基本的な「ウエスタングリップ」、回転をかけるサーブやカットサービスに適した「イースタングリップ」、ウエスタンとイースタンの中間で、スマッシュやサービスを打ちやすい「セミイースタングリップ」の３つがある。

握り方に決まりはないが、練習を重ねていくうちに、この場面ではこう握ると打ちやすいというのがわかってくるはずだ。それぞれのグリップを試しながら、自分に合ったグリップを早く見つけよう。

トレーニングの進め方

時間▶5分

Step 1

ラケットを真上から握る ウエスタングリップ

地面にラケットを置き、真上から握るグリップ。自然にスイングできるため、ストロークやボレーで頻繁に使われる。低いバウンドのボールは処理しづらい

Step 2

高い打点を打ちやすい セミイースタン

ウエスタングリップをイースタン側に45度ずらすのがセミイースタングリップ。スマッシュやサーブといった高い打点のボールを打ちやすい

Step 3

カットやスライス回転に適する イースタングリップ

ウエスタングリップから90度ずらしたグリップ。真上から握ると地面とラケット面が垂直になる。カットやスライス回転に適している

中堀成生の ワンポイントアドバイス！ POINT! 1

それぞれの握りで、いろいろなショットを試してみよう。打ちやすい握りや、そうでない握りがわかるはずだ

ココを CHECK!

□ウエスタングリップをマスターできたか
□それぞれの握り方の長所や短所を正しく理解したか
□自分に合ったグリップを見つけられたか

Part 2 ストローク

乱打ショートストローク

ショート乱打で意識するのは正しいフォームとコントロール

トレーニングのねらい ストローク練習の導入として最適なのが、サービスコート内で短いボールを打ち合う乱打。通常のストロークと同じフォームで行おう

使うエリアはサービスコート。ストレートでやったら、次にクロスでもやってみる

正しいフォームでラケットをしっかり振り抜く

コートで最初に行う練習は、サービスコートだけを使ったショートストロークの乱打が望ましい。普通の乱打より気軽にでき、エリアが限定されている分、コントロールも身につきやすいからだ。

ポイントは、ボールを当てるだけではダメということ。正しいフォームを意識し、ラケットをしっかり振り抜くことが大切だ。相手からの返球のタイミングが早いので、次の準備も早くする。ストレートでやった後はクロスで。バックハンドやスライスショットも織り交ぜて打ってみよう。

トレーニングの進め方

時間▶ 5分

Step 1

ラケットを振り抜くスイングを心掛ける

打つボールは短いが、打ち方はテイクバックからフォロースルーまで通常のストロークと同じ。ドライブ回転をかけると、ボールが落ちる軌道を描く

Step 2

打ち終わったら早めに待球姿勢に戻る

相手との距離が短いので、ボールが返ってくるタイミングも早い。打ち終わったらすぐに待球姿勢に入ること。ストレートの後はクロスでも行う

Step 3

バックやスライスも積極的に試す

フォアハンドだけでなく、バックハンドやスライスショットも織り交ぜる。中途半端な打ち方ではアウトになったり、ネットにかかるので注意しよう

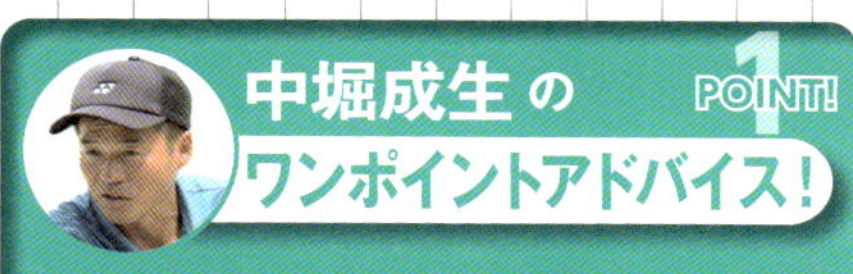

中堀成生の ワンポイントアドバイス！ POINT! 1

スライスショットは、グリップをセミイースタンに持ち替え、胸の前でボールを押し出すイメージで打とう

ココ を CHECK!

□ショートストロークで打ち合えたか
□通常のストロークと同じフォームでできたか
□バックハンドやスライスもマスターしたか

Part 2 ストローク

ロビング打ち

ロビング打ちで意識するのはヒザを柔らかく使うこと

トレーニングのねらい	ストロークの一つで山なりの軌道を描く「ロビング」。ヒザを柔らかく使い、ベースライン付近に狙いを定めて打つ

ロビングが浅いと試合では相手前衛のチャンスボールになる。深いほど効果的だ

目的意識を持ってロビングの乱打を行おう

ロビングの乱打には、シュート乱打の前段階としてのウォーミングアップという意味がある一方、コートの大きさやボールの飛び方を改めて把握するという狙いもある。やみくもに乱打するのではなく、目的意識を持って行うこと。

ロビングは、ヒザを柔らかく使って体重移動しながら、全身で伸び上がるように打つのがポイントだ。ベースラインに狙いを定め、できるだけ深いボールを打てるようにしたい。ドライブ回転をかけて、高さやスピードを打ち分けられるとなおよい。

トレーニングの進め方

時間▶5分

Step 1

棒立ちにならないよう ヒザを曲げてテイクバック

打点にすばやく入り、ヒザをしっかり曲げてテイクバック。脚が棒立ちのまま、スイングに入らない。ベースライン付近に落ちる深いボールを打てるように

Step 2

ラケットの軌道は 下から上に振り上げる

ヒザを伸ばすようにしてインパクトへ。前足側に体重移動しながら、ラケットを下から上に振り上げる。まずは腰ぐらいからの打点をマスターしよう

Step 3

伸び上がるようにして フィニッシュする

フォロースルーは最後までしっかり。全身で伸び上がるようにしてフィニッシュする。すぐに定位置に戻って待球姿勢を作り、次のボールに備えておく

中堀成生の ワンポイントアドバイス！ POINT! 1

相手の攻撃をしのぐ「つなぎのロビング」と、相手を走らせる「攻撃のロビング」を使い分けられるように

ココ を CHECK!

- □ヒザを柔らかく使って打てたか
- □ベースライン付近に落ちる深いボールを打てたか
- □つなぎと攻撃を打ち分けられたか

コツ 09 Part 2 ストローク

乱打シュート

乱打シュートで強い打球を正しく打ち合えるように！

トレーニングのねらい	もっとも基本的な打ち方であるストロークを２人で打ち合う「乱打」。シンプルな練習だが、様々な上達のカギが詰まっている

クロス、逆クロス、センター、もしくはストレート３コースの計６人が同時にコートで練習できる

相手としっかり打ち合える技術を身につける

ロビングの次はシュートの乱打へ。ここで確実に打てるようにならないと次のステップへは進めない。ボールが来る方向と自分が狙う方向は一定なので、正しい打ち方でシュートを打ち合えるようにしよう。

リラックスした構えから、瞬時にボールの質を見極め、素早く打つ位置に移動する。テイクバックを早めに行い、軸足を決めたらあとはタイミングを合わせてラケットを振り抜くだけ。体重を前足に移動させながらスイングすることで、相手のスピードに負けない強いボールが打てる。

トレーニングの進め方

時間▶ 20〜30分

Step 1

腰の回転運動を利用し すべての動作を素早くする

腰の回転運動を利用して、全身を使って打つ。打つ位置への移動、テイクバックなど、すべての動きを早めに。できるだけ高い打点でボールをとらえる

Step 2

前足への体重移動で 力強い打球を打つ

大きなフォロースルーでフィニッシュ。打ち終わったらすぐに次のボールの準備をしておく。相手に打ち負けないパワフルな打球を目指したい

Step 3

バックハンドも 正確に打てるように

バックハンドでも打てるように。ポイントはテイクバックのときに肩を入れることと、打点を踏み込む足よりもやや前に持っていくこと

中堀成生の ワンポイントアドバイス！ POINT! 1

ラケット面をフラットにしてボールをとらえると、バウンドしたときに伸びのある鋭いショットになるぞ

ココを CHECK！

- □相手に力負けせずに乱打をできたか
- □いろいろな選手と打ち合ったか
- □バックハンドに苦手意識を持たず、フォアハンドと同じように打てたか

コツ 10 Part 2 ストローク

片脚でストローク練習・軸足

軸足を先に決めることでストロークが安定する

トレーニングのねらい	右利きの場合、フォアは右足でバックは左足で立って打つ練習。「軸足を決めてから打つ」という感覚をつかむのがねらいだ

片脚立ちになるので、バランスをとるのが難しい。ラケットを持っていない方の腕をうまく使おう

軸足を決めてから打つ。その感覚をつかむ

ストロークにおける基本的な足の運び方は、軸足を決めてからスイングとともに体重を前足に移動させていくというもの。つまり、軸足が決まらない限り、安定したストロークにはならないとも言える。

そこで軸足一本だけで立って打つことで、ストロークの第一歩が軸足であるということを身体で覚えよう。右利きならフォアハンドは右足、バックハンドは左足で行う。球出しはボールを近くから軽く投げてもらうだけでいい。インパクト後も前足は地面につけないようにする。

トレーニングの進め方

時間▶ 5分

Step 1

軸足に体重が乗っているのを意識してボールを待つ

３～４ｍ離れたところから手でボールを投げてもらい、軸足だけで立って打つ。体重が一本の足に乗っている感覚をしっかり覚えておくこと

Step 2

バランスをとりながら片脚のまま振り抜く

スイングする過程で実際は前足に体重が移動していくが、ここでは軸足に残したままで。上体がブレないようにうまくバランスをとる

Step 3

バックハンドはバランス取りに注意する

バックハンドは前足より前でインパクトできない分、体勢が苦しいと感じるかもしれない。強いボールを打とうと思わず、身体の使い方を身につけること

中堀成生のワンポイントアドバイス！ POINT! 1

片脚立ちが安定しない場合は、まず素振りだけやってみる。ラケットを持っていない腕でバランスをとってみよう

ココをCHECK!

□軸足だけで立ち、体重が乗っていることを意識できたか
□軸足だけ立ってボールを打てたか
□バックハンドでもうまく打てたか

Part 2 ストローク

11 片脚でストローク練習・踏み込み足

前足に壁を作る練習をして軸足の力を逃さずにスイング

トレーニングのねらい	ストロークの際、踏み込む前足が回転すると、軸足から伝わってくる力が逃げてしまう。それを防ぐために前足に壁を作るのがねらいだ

野球のピッチングと考え方は同じ。前足に壁を作ることで、腰の回転運動が生きる

踏み込み足の壁が軸足からの力を集約させる

スイングの過程で軸足から伝わってくる力を逃がさず、集約させる役割を果たすのが踏み込み足の壁。厳密には、前足のヒザのやや外側からふくはらぎの横にかけての部分を固定させて壁ができる。つま先を打ちたい方向に向けてしまうと、壁にならないので注意するしよう。

やり方は軸足の片脚打ちと同様、手投げされたボールを踏み込み足一本で立った姿勢から打つ。インパクト以降は通常のストロークの動きに近づくので違和感はそれほど感じないだろう。

トレーニングの進め方

時間▶ 5分

Step 1

球出しは近い位置から手投げでやさしく

球出しは3～4m離れたところから、やさしく手投げで行う。フットワークを求めない練習なので、打ちやすい位置に投げてあげることが大切

Step 2

前足のヒザ周辺に壁をイメージする

腰の回転を使ってスイングする。壁は前足のヒザのやや外側からふくはらぎの横にかけての部分。片脚立ちでは足の向きは固定され、動かせない

Step 3

バックハンドでは壁のすぐ前が打点になる

右利きのバックハンドでは、踏み込み足である右足のヒザ周辺に壁を作る。打点がちょうど壁の前に来るため、違和感なくスイングできるはずだ

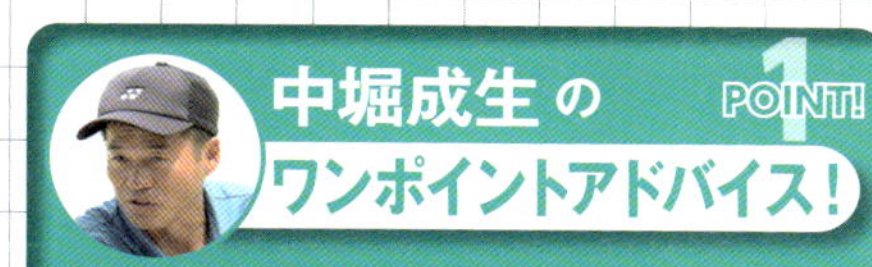

中堀成生の POINT! 1 ワンポイントアドバイス!

練習の前に野球のピッチングをやってみよう。「壁を作る」ことがどういう意味なのかわかるだろう

ココを CHECK!

□踏み込み足だけで立ち、ボールを打てたか
□「壁を作る」とはどういうことか、正しく理解できたか
□バックハンドでもうまく打てたか

コツ 12

Part 2 ストローク

体重移動を意識する練習

軸足から踏み込み足への体重移動がスムーズになる

トレーニングのねらい	体重移動がうまくできない、インパクトの位置が安定しないなどの解決策として、真上から落としてもらったボールを打つ

どのポイントに落とすかあらかじめ決めてから、球出しが真上からボールを落とす

真上からのボールを打てば体重移動が意識できる

ボールに近すぎたり、打点が遅れるなど、インパクトするポイントがきちんと定まっていないと、フォームが崩れ、結果として威力のあるストロークは生まれない。それは向かってくるボールに対して、うまくタイミングを取れていないことが原因。ここでは真上から落とされるボールを打つことで、打点の安定を高めていく。

先に学んだ軸足と踏み込み足でのそれぞれの片脚打ちをミックスさせるイメージで。きちんと体重移動をしてから打たないと飛距離も威力も出ないはずだ。

トレーニングの進め方

時間▶ 5分

Step 1

身体の回転運動と体重移動を意識する

ストロークで重要なのは、腰を使った身体の回転運動と体重移動。真上から落とされたボールはしっかり踏み込んで打つと、力強い打球になる

Step 2

バックは肩を入れてテイクバックに入る

バックハンドも同じ要領で。テイクバックでは軸足の位置を素早く決め、体重をしっかり乗せたら、右利きなら右肩を入れるようにラケットを引く

Step 3

踏み込み足より前でボールをとらえる

踏み込み足に体重を移動させて、インパクトへ。打点は踏み込み足よりやや前になる。最後までラケットを振り抜き、フォロースルーは大きくとる

中堀成生のワンポイントアドバイス！ POINT! 1

素振りをして、どこが打点にくるのがもっとも最適か、球出し係にチェックしてもらおう

ココをCHECK！

- □ボールを捉えるポイントが一定したか
- □体の回転運動を使って打てたか
- □軸足から踏み込み足にスムーズに体重を移動しながらスイングに入れたか

コツ 13 Part 2 ストローク

後ろからのボールを打つ

後ろからのボールを打てば スイングの回転動作がつかめる

トレーニングのねらい	後ろ（軸足方向）から投げられたボールを打つ。向かってくるボールを打つとき以上に、身体の回転や体重移動を意識できる

反発を得られない後ろからのボールを対処する

ボールはこちらに向かってくるからこそ、その反発力を利用して強い打球で返すことができる。では、その反発を得られなかったら、という設定で行う練習が、後ろから投げられたボールを打つ練習だ。

前に進もうとするボールを追いかける格好になるが、フォームは基本通り、軸足を先に決め、踏み込み足に体重移動しながら、体の回転運動を利用して打つ。うまく対処できないと、前かがみになってフォームが崩れるので集中して取り組みたい。この練習はフォアもバックも行いたい。

トレーニングの進め方　時間▶5分

Step 1

ボールをよく見てタイミングを図る

軸足方向からボールを軽く投げてもらう。こうなると反発は得られない。タイミングが遅れてしまわないように、ボールをよく見ておく

Step 2

体重移動しながら踏み込んで打つ

踏み込み足をグッと踏み込んだときに、軸足からの重心がきちんと移動できていることがポイント。回転を使ってラケットを鋭く振り抜こう

Step 3

最後まで振り抜けばパワフルな打球になる

上体がつんのめったり、前傾してしまうのはフォームが崩れている証拠。正しいフォームでスイングし、ボールに力が伝わっているかを確認しよう

中堀成生のワンポイントアドバイス！ POINT! 1

どうしてもタイミングが遅れるときは、先に学んだ真上から落とすボールを打つ練習に戻ってみるといい

ココをCHECK！

□後ろからのボールにもフォームを崩さずにボールを打てたか
□きちんと体重移動を行えたか
□打球に力強さを加えられたか

コツ 14 Part 2 ストローク

手投げからクロスとストレート

コースを打ち分けるときは相手に読まれないように

トレーニングのねらい	試合では、同じコースにばかり打っていても得点できない。 クロス、ストレート、逆クロスに打ち分ける技術を身につけよう

最初は近くから投げてもらうボールを打つ。球出しに当てないように十分に注意すること

クロスとストレート、同じフォームで打ち分ける

いろいろなコースに打ち分けられれば、それは大きな武器になる。しかし、そのコースが読まれていれば、逆に相手のチャンスボールへと変わってしまう。つまりコースの打ち分けで大切なのは、どこを狙うにもできるだけ同じフォームでスイングするということだ。

ボールをとらえる位置は調整しなければいけないが、少なくともテイクバックまではすべて同じ動きにする意識で。サイドラインをかすめるような厳しいコースに打ち分けよう。

トレーニングの進め方

時間▶ 5分

Step 1

肩を入れて構え相手前衛をけん制する

手投げされたボールに対し、軸足を決め、早めにテイクバックをとる。肩を入れて構えることで、相手前衛はどちらに打たれるか予測できない

Step 2

打点を調整することで打ち分けができる

インパクトの位置を変えることでコースを打ち分けられる。ストレートを基準とすると、正クロスは前に、逆クロスは後ろでボールをとらえる

Step 3

バックハンドもフォアと同じ意識で打つ

バックハンドでも、正クロスとストレート、逆クロスとストレートを正確に打ち分けられるように。テイクバックの際の肩が前衛をけん制する役割を果たす

中堀成生のワンポイントアドバイス！ POINT! 1

アバウトな狙いより、サイドラインぎりぎりを狙って打てると、攻撃の幅が広がり、相手の脅威になるぞ

ココをCHECK!

- □コースを打ち分けられたか
- □相手に読まれないように同じフォームで打てたか
- □サイドラインぎりぎりを狙えたか

Part 2 ストローク

2対1でクロスとストレートの乱打

2人を相手にした乱打なら より実戦をイメージできる

トレーニングのねらい	相手コートのクロスとストレートに選手を配置し、乱打の中でコースを打ち分ける。前衛もいるとイメージして、鋭いコースを突きたい

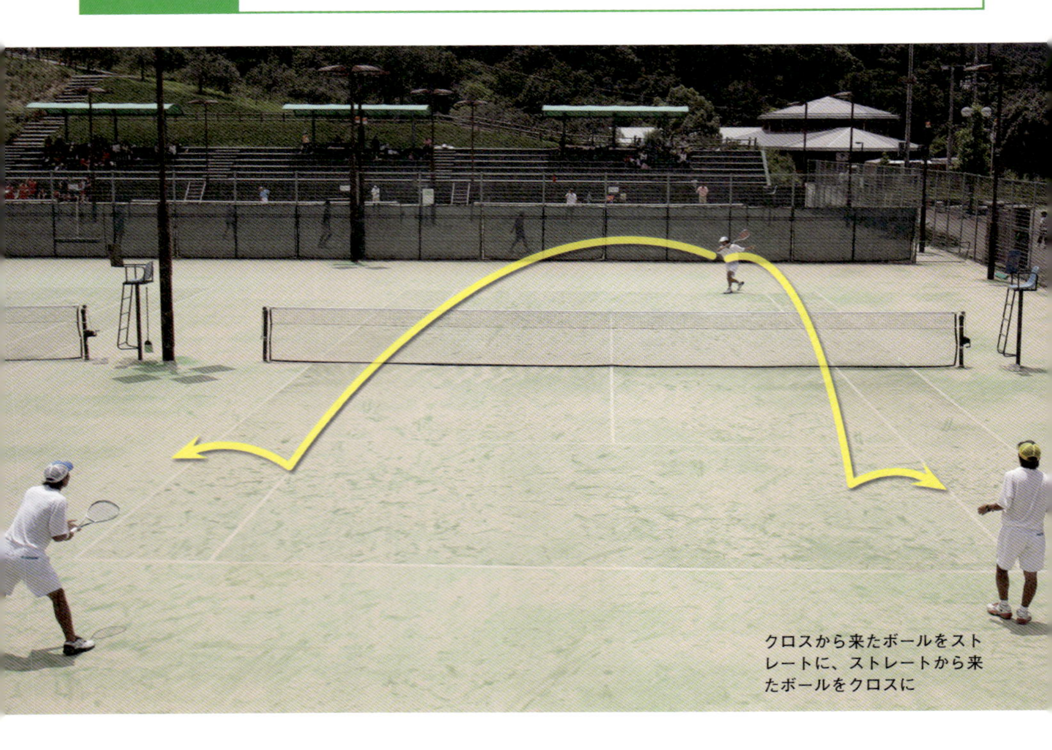

クロスから来たボールをストレートに、ストレートから来たボールをクロスに

引っ張るときは打点が前に、流すときは後ろになる

手で投げられたボールを打ち分けられるようになったら、次は実際に相手と打ち合う中でコースを打ち分けてみる。１人とはクロスに、もう１人とはストレートの関係になるように２人にコートに入ってもらい、２対１で乱打を行う。クロスから来たボールはストレートに、ストレートから来たボールはクロスに打ち分けていく。

ポイントはインパクトの位置。引っ張るときは打点が前に、流すときは後ろ（自分の側）に引きつける。相手前衛もいると想定して、サイドライン際を狙おう。

トレーニングの進め方

時間 ▶ 10分

Step 1

飛んできたコースと違うコースに返球する

肩を入れて相手の前衛をけん制しながら、スイングに入る。飛んできたコースとは違うコースに返球する難しさがあるが、落ち着いて丁寧に対応する

Step 2

どのコースに打つにも同じフォームでスイングする

引っ張るときは打点を前に、流すときは自分の側に引きつけて、コースを打ち分ける。ただし、インパクトまでは同じフォームでスイングするように心掛ける

Step 3

両サイドライン際にきっちり打ち分ける

両サイドライン際にきっちり打ち分けられれば、それだけ相手の守備エリアが広がる。ラインの内側ばかり狙わず、大胆にライン際を狙っていきたい

中堀成生の ワンポイントアドバイス！ POINT! 1

2人と打ち合うだけでなく、相手コートに実際に前衛に立ってもらうと、狙うべきコースが実感しやすくなる

ココを CHECK!

- □コースの打ち分けができたか
- □クロスボールをストレートに、ストレートボールはクロスに打てたか
- □同じフォームで前衛をけん制できたか

コツ 16 Part 2 ストローク

的を狙って打つ

コントロールを高めるために目標物を狙って打つ

トレーニングのねらい 「コースを狙う」と言っても実践するのは難しい。そこで具体的な目標物を狙って打つようにして、コントロールを身につける

用意する目標物は工夫次第で、いくらでも考えられる。みんなでアイデアを出し合おう

ネットや相手コート内に置いたモノを目標にする

コースを狙うと頭ではわかっていても、実際にやってみると思い通りにいかない。もちろん、１本１本のストロークで高い意識を持つことが重要だが、具体的に目標があると狙いを定めるのに効果的だ。

ここではブラシをネットに立てかけ、その間を通す練習を紹介している。ちょっとしたゲーム感覚も味わえるので、新鮮な気分で取り組めるだろう。ブラシ以外にもネットにタオルをかけたり、相手コート内にマーカーやカゴを置いて狙うなど、練習方法はアイデア次第でいくらでもある。

トレーニングの進め方

時間▶5分

Step 1

ネットに立てかけた ブラシの間を通す

ここではネットに立てかけたブラシの間を通すことでコントロールを養う。ネットにタオルをかける、マーカーやカゴを狙うなど、やり方はいくらでもある

Step 2

楽しめる要素もあり 練習が盛り上がる

具体的な目標があると、狙いを定めやすい。この練習の最後に「間を通せた人から上がり」と決めると、ゲーム感覚も味わえて練習も盛り上がる

Step 3

目標に当てることを 目的にしない

ブラシの間を通したり目標物に当てる練習だが、それ自体が最終的な目的ではない。どのコースを狙うにも同じフォームで打つことは忘れないように

中堀成生の ワンポイントアドバイス！ POINT! 1

コースを狙えるようになったら目標物をよけてみる。同じように打てたらコントロールがついた証拠だ

ココをCHECK!

□目標物を使ってコース打ちができたか
□いろいろなアイデアを出し合って、目標を決められたか
□目標物をよけてもコース打ちをできたか

指3本だけのグリップで打つ

力まないで打てるように 指3本でグリップを握る

トレーニングのねらい	強く打とうという意識が強いと、グリップを強く握って力んでしまいがち。3本の指で軽く握るだけもボールが打てることを理解する

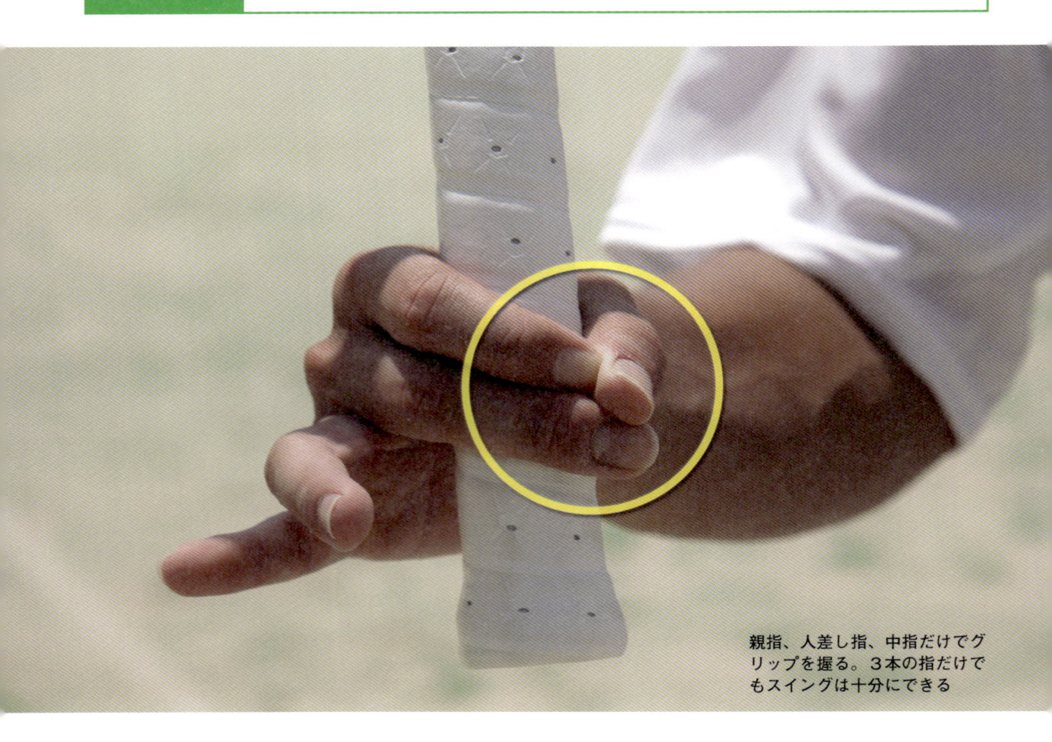

親指、人差し指、中指だけでグリップを握る。3本の指だけでもスイングは十分にできる

力んだ状態からでは強いボールは打てない

力を入れるためには、それまでに力が入っていてはいけない。つまり、力んだ状態では力は入らないということである。

グリップも同じ。強いボールを打ちたいなら、スイングを始めるまではグリップをリラックスさせ、インパクトの瞬間にギュッと握るようにする。ここでは親指、人差し指、中指の3本の指だけでグリップを握り、力まないで打つイメージを覚えていく。親指と人差し指の2本だけでも打ってみると、すべての指でギュッと握ったときとの違いがより鮮明になる。

トレーニングの進め方

時間 ▶ 5分

Step 1

３本の指で握り力まない感覚をつかむ

力まない状態の感覚をつかむために、３本の指でグリップを握って打つ。テイクバックやスイング後、ラケットがすっぽ抜けないように注意する

Step 2

インパクト以外はラケットを強く握らない

３本の指でラケットを振っても思うように力が入らない。インパクトの瞬間以外は、このイメージでグリップを握る。力を抜いているから力は入る

Step 3

２本の指で握り力まない意識を強める

親指と人差し指の２本だけ、親指と薬指と小指の３本だけでも同じように打ってみよう。すべての指でギュッと握ったときとは力の入り方が違う

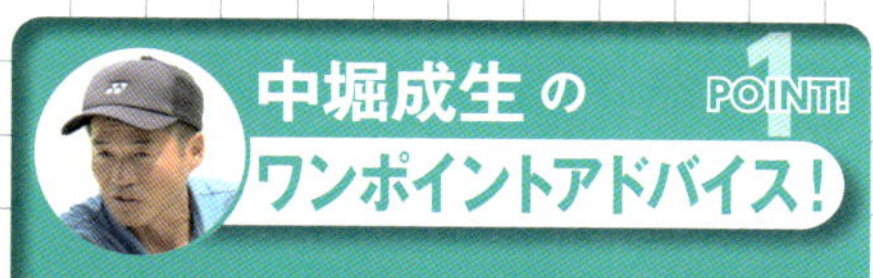

グリップは小指側に力を入れて握ると、ラケットのスイングスピードが上がり、強いボールが打てるぞ

ココを CHECK!

- □３本の指できちんと打てたか
- □力まない状態と、力を入れる状態の違いを理解したか
- □２本の指での握りも試してみたか

コツ 18 Part 2 ストローク

フォア&バックの4本打ち

テンポ良く打つには足を使って次の準備をする

トレーニングのねらい	フォアハンド、もしくはバックハンドの一方に偏らないように、両方を同じレベルで打てることを目指して交互に連続して打つ

球出しは左右交互にテンポよく投げていく。相手コートから打つ球出しでもOK

フォアとバックを交互に連続して打つ

フォアハンド、もしくはバックハンドのストローク練習で、どちらか一方だけならリズムも出てきてうまく打てるが、両方が混在すると途端に打てなくなる人が少なくない。とくにバックハンドに苦手意識を持っている中高生も少なくないだろう。

ここでは球出しに左右交互にボールを出してもらい、フォア→バック→フォア→バックと4本連続でストロークを打つ練習をする。一球打った後、いつまでもボールの行方を見ていないこと。すぐにスタート地点に戻り、待球姿勢を整えておく。

トレーニングの進め方

時間▶ 5分

Step 1

どこを狙うか決めて足を運びフォアで打つ

まずはしっかり足を運んでフォアハンドから。漠然と打つのではなく、相手コートのどこを狙うのか明確にして打とう。前衛に立ってもらうと効果的だ

Step 2

相手前衛をけん制し次はバックハンドで打つ

次にバックハンド。軸足を決め、テイクバックではラケットを持っている側の肩を入れる。相手に背中が見えるぐらい入ると、コースを読まれにくい

Step 3

待球姿勢を整えて次の準備をしておく

Step1と2を繰り返す。大切なのは、その場で打球をいつまでも見ていないこと。サイドステップで速やかにスタート位置に戻り、次のプレーの準備に入る

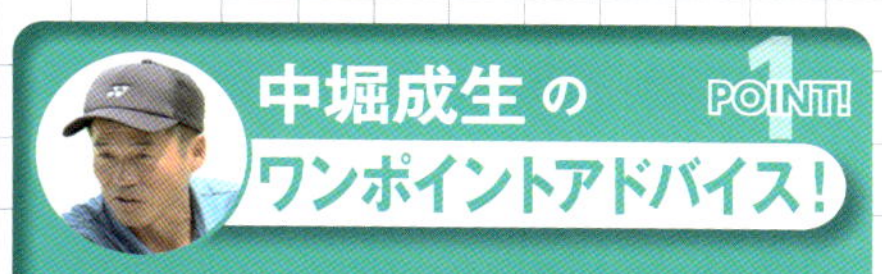

中堀成生のワンポイントアドバイス！ POINT! 1

フォアを打つ位置とバックを打つ位置を徐々に広げていく。走る距離が増えてもきちんと打てるようになろう

ココをCHECK!

□フォアとバックをテンポよく打てたか
□一本打ったらすぐに体勢を整え、次のプレーの準備に移れたか
□走る距離を伸ばしていけたか

コツ 19

バックハンドでラケットを引いて打つ

肩を入れる意識を持つため逆の手でラケットを引く

トレーニングのねらい	バックハンドで「肩を入れる」練習。右利きなら左手でラケットを持って引き、テイクバック完了とともに右手に持ち替える

左手をしっかり使うことを意識させることにつながる練習でもある

テイクバックまでは利き腕と逆の手でラケットを持つ

バックハンドを苦手としている人に多いのが、構えのときに肩を入れられない点だ。フォア、バックにかかわらず、ストロークは身体の回転運動が不可欠。バックではラケットを持つ腕を、その腕と反対方向に深く引くことで回転を生み出せる。

深く引くためには、右利きならば左手だけでラケットを引いてみるといい。テイクバックを終えた時点で本来の右手に持ち替え、スイングに入っていく。左手でラケットを引いたとき、背中が相手に見えるぐらい肩が入っているのが理想である。

トレーニングの進め方

時間▶3分

Step 1

利き手ではない手でラケットを引く

素早くボールを打つ位置に入り、軸足を決めたら、テイクバックに入る。その際、右利きならば左手だけでラケットの中央を持ち、そのまま引く

Step 2

テイクバック完了後通常のグリップにする

テイクバックが完了した瞬間に、通常通りのグリップに持ち替える。このときの構えが肩が入っている状態。相手に背中が見せているとなおよい

Step 3

体重移動を行いながらラケットを振り切る

踏み込み足のやや前の打点でボールを捉える。軸足から踏み込み足に体重移動がスムーズに行われ、しっかり振り切れると、鋭いボールになる

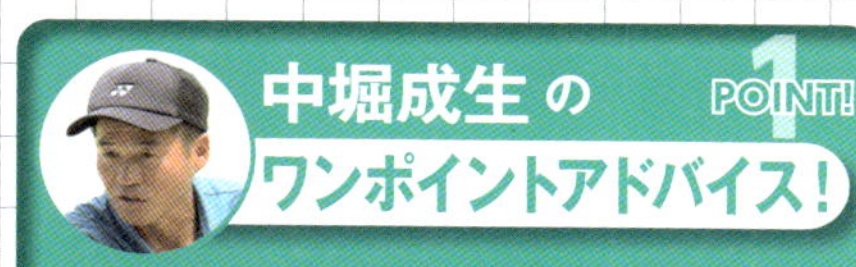

最初のうちは素振りだけで行い、ラケットの軌道をマスターする。慣れてきてからボールを打ってみよう

ココをCHECK!

- □左手でラケットを引き、スムーズに持ち替えられたか
- □肩を入れる意味を理解できたか
- □バックハンドを打てるようになったか

バックハンドで脇が開くのを防ぐ

脇の開きを防止するため 手の甲でボールを打つ

トレーニングのねらい	バックハンドは、テイクバックで脇が上がると、身体の回転を使えない。それを防ぐため、手の甲を使って脇を閉めるのがねらい

手をラケット代わりに。手の甲を相手に見せるように引くと、脇は上がらない

手の甲で打とうとすると、自然と脇が閉まる

バックハンドを打つとき、テイクバックで脇が上がっていると、スムーズなスイングにつながらず、身体の回転運動ができない。ヒジを下げ、肩が入るからこそ、ラケットを鋭く振り抜けるのだ。

脇を上げないために、手の甲でボールを打つ練習がオススメ。素手テニスのようにラケットは使わず、手の甲でバックハンドだけ打っていく。実際のスイングは手のひらで打つ感覚になるが、ここではテイクバックのときにヒジが上がらない正しい構えを身につけたい。

トレーニングの進め方

時間▶ 3分

Step 1

テイクバックで脇が開くのはNG

テイクバックしたときに、ヒジが上がり、脇も開いている。これではラケットをスムーズに振り抜けず、身体の回転からボールに力を伝えられない

Step 2

手投げされたボールを手の甲で打つ

手で投げられたボールを素手テニスと同じ要領で打つ。ただし、ボールをとらえる面は手の甲。これによって、脇が空いてしまう欠点を修正できる

Step 3

ここで重要なのはヒジを上げないこと

ここではボールの飛距離や威力、ミートできたか否かは問わない。大切なのは、テイクバックを行うまでの間、手の甲で打つ意識を持てたかどうかだ

中堀成生の ワンポイントアドバイス！ POINT! 1

2人でペアになり、テイクバックしたときにラケットのヘッドがヒジより下がっていないか確認してみよう

ココを CHECK!

- □ラケットを持ってテイクバックしたとき、脇が上がっていないか
- □脇を閉める理由を理解できたか
- □手の甲でボールを打ってみたか

ソフトテニス用語集

ソフトテニスをプレーする上で
知っておくべき専門用語を紹介！
ここでは技術に関する用語を解説する

▶アプローチショット
チャンスをみつけてネット方向へ前進するための攻撃的なショット。

▶インパクト (impact)
ラケットにボールがあたる瞬間。打球の瞬間。

▶エース (ace)
相手プレーヤーがラケットに触れられず、ポイントになるショット。

▶カット (cut)
ボールを切るようにして打つこと。またその打球。

▶グラウンドストローク (ground stroke)
コートにワンバウンドしたボールを打つこと。またその打球。

▶シュートボール (shootball)
直線的に速く鋭く飛ぶ打球。

▶スイングボレー (swing volley)
ラケットを振り切って打球するボレー。

▶スクリーンプレー (screenplay)
ダブルスでパートナーが身体などで目隠しの役割をし、相手側の視線をさえぎるプレー。

▶スライス (slice)
ラケットでボールを切って、ボールに回転を与えること。

▶中ロブ
シュートボールとロビングの中間で、攻撃的な速いロビングのこと。

▶ツイスト (twist)
ボールを強く捻ったり、ねじ曲げて短いボールを打つこと。

▶ドライブ (drive)
①ボールにトップスピン（順回転）をかけること。
②グラウンドストロークや、シュートと同義で、コート面と平行にネット上近くを直線的に速く鋭く飛ぶ打球を指す場合もある。

▶パッシング (passing)
相手のネットプレーヤーの左右を抜き去ること。またその打球。パスとも言う。

▶フェイントモーション (feint motion)
相手をあざむいたり、牽制したりするための動き。

▶フォロー (follow)
打球についていくこと。相手の決定的な打球を拾ったり、受け返すこと。ボレーやスマッシュに対してフォローと呼ぶことが多い。

▶ライジングストローク (rising stroke)
バウンドしたボールをバウンドの頂点に達する前に打つボール。またその打法。ライジングとも言う。

▶リバース (reverse)
ボールに左回転を与えること。

Part 3

ボレー＆スマッシュ

ボレーボレー

アップになるだけでなくボールの感覚を養える

トレーニングのねらい	サービスコート内に立ち、ネットを挟んで２人でボレーを打ち合う。練習を始める前のウォーミングアップにもなる

相手が取りやすいところを狙ってボレーを続ける。慣れてきたらスピードアップを

ラケットを振ろうとせず、相手の方に押し出す

ボレー練習の一つ、ボレーボレー。しかし、いつでもどこでも気軽にできるので、前衛、後衛を問わず、ウォーミングアップ代わりに採用されることも多い。

構えは肩の力を抜き、リラックスした状態から。ラケットを振ろうとせず、インパクトの瞬間にグリップをギュッと握って、上に押し上げるイメージだ。上体だけでラケットをさばかず足を動かして取りにいく。相手との距離が短く、返球されるまでのタイミングが早いので、打ち終わったらすぐに構えること。

トレーニングの進め方

時間▶5分

Step 1

ラケットは振らず相手側に押し出す

ヒザをやや曲げた状態から伸び上がるように打つ。ラケットを振ろうとせず、相手に向かって押し上げるイメージだ。打ち終わったらすぐに構える

Step 2

利き腕側の足でタイミングをとる

ボレーのポイントは、腕だけで処理しようとせず、足をしっかり動かすこと。インパクトの瞬間、利き腕側の足を踏み出してタイミングをとる

Step 3

正面より左のボールはバックハンドでさばく

右利きの場合、顔の正面を含め、左側に来るボールはバックハンドでのボレーとなる。インパクト時にグリップをギュッと握り、面を作って押し出す

中堀成生のワンポイントアドバイス！ POINT! 1

リズムよくボレーボレーが続いたら、少しずつスピードアップし、速いボールに目を慣らせていこう

ココをCHECK!

□バウンドさせずにボレーが続いたか
□相手の方向に押し出すラケットの使い方が身についたか
□足の踏み出しでタイミングをとれたか

コツ 22 Part 3 ボレー＆スマッシュ

V字ボレー

打ちたい方向に面を固定し押し出すようにボレーする

トレーニングのねらい	１人対２人でボレーボレー。１人の選手は、飛んできた方向とは違う方向にボレーすることで、コースの打ち分け技術が身につく

１人の側は、ボレーする回数が倍になるので休んでいる暇もない。早め早めの準備を

叩きつけるボレーではなく、深いボレーを打とう

１人（A）対２人（B、C）でボレーボレーを行う。Aは、Bからのボレーを Cに、Cからのボレーを Bに返す。ボールの流れはV字になる。飛んできた方向と違う方向にボレーするには、打ちたい方向にラケットの面を固定させ、その方向に押し出すようにするといい。実践では、後衛同士がラリーを続けているときにボレーで得点を狙う「ポーチ」などで役に立つ。フォアで打つかバックで打つかの判断は早く。どちらで打つ場合も引っ張るボレーと流すボレーを打ち分けられるようにしたい。

トレーニングの進め方

時間▶ 5分

Step 1

両足に重心を置き リラックスして待つ

1人の側は、返球されるまでの時間がない。どちらにでも動き出せるように両足に均等に重心を置き、ラケットを上げ、リラックスした状態で構えておく

Step 2

ヒザを柔らかく使い 伸び上がるように打つ

ヒザを柔らかく使い、インパクトで伸び上がるように打つ。そのとき同時に、手首は固定させ、ボールを押し出す。ボールから目を離さない

Step 3

フォアかバックか 判断を早くする

フォアハンドとバックハンド、それぞれで引っ張るボレーと流すボレーを習得する。フォアで打つかバックで打つかの判断を早くすることも大切だ

中堀成生の ワンポイントアドバイス！ POINT! 1

Ｖ字ボレーがある程度続いたら、相手のフォア側、バック側とさらに細かいコースを打ち分けてみよう

ココ を CHECK!

□Ｖ字ボレーを続けられるようになったか
□引っ張るボレーと流すボレーの感覚をつかめたか
□スピードアップして行えたか

4人ボレー

実戦に近い2対2の状況で瞬時の判断力を養う

トレーニングのねらい	２人対２人で行うボレーボレー。打つコースに規則性は持たせず、お互いに好きな方向に打つことで、対応力を養う

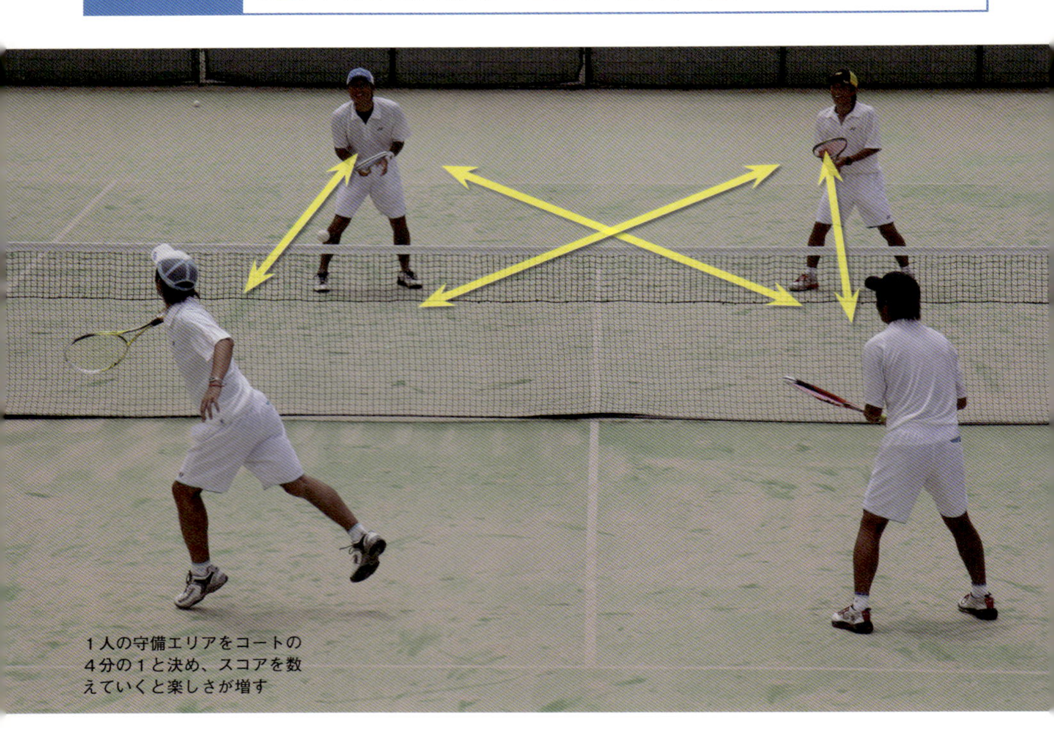

１人の守備エリアをコートの４分の１と決め、スコアを数えていくと楽しさが増す

どちらからボレーされるかわからない難しさがある

より実戦に近い２人対２人で、ボレーボレーの練習を締めくくる。打つ方向に規則性を持たせず、自由に好きな方向にボレーする。逆に言えば、どちらの相手からボレーされるかわからないということでもある。「どこにどのように打つか」に加え、パートナーに任せて自分は打たないという選択肢も出てくるわけだ。センターに打たれたら取りやすい方が取るのがセオリーだがフォアで打てる方を優先してもいい。コートの４分の１ずつを割り当て、決められたポイントを数えていくと練習自体を楽しめる。

時間▶ 5分

Step 1

重心の低い待球姿勢で相手のボレーに対処

どちらの相手からボレーされるかわからないので、すべてのボールに対応できる準備だけはしておく。ボールをよく見て、待球姿勢は重心を低く

Step 2

打ち方やコースなどいろいろと試してみる

来たボールにはすばやく反応する。フォアとバック、引っ張るボレーと流すボレーを使い分け、クロス、ストレート、センターを狙っていこう

Step 3

どちらが打つのか迷ったらフォアボレーできる側を優先

センターに打たれたら体勢などで取りやすい方が処理するのがセオリーだが、バックよりもフォアボレーで打てる側を優先するようにしたい

ノーバウンドで何回続けられるかを数えるのも効果的。相手に打ちやすいボールを返そうという心理が働く

ココをCHECK!

□4人でボレーボレーを続けられたか
□クロス、ストレート、センターなど、コースを打ち分けられたか
□センターに来たボールを対応できたか

イスに座ってボレー

ラケットを振らずボールを面でとらえる感覚をつかむ

トレーニングのねらい イスに座ってボレーをすることで、ラケットを振らない動きを覚える。手首を固定してラケットを押し出し抜いていく動作を身につけよう

イスが近くにない場合、ヒザ立ちや片ヒザ立ちのボレーでもＯＫ。下半身を制限する

下半身を制限し、ラケットを振れない状態を作る

ボレーをするときはラケットを振ってはいけない。なぜなら、振るとボールは「点」でとらえなければならず、それだけミスをする可能性が高まるからだ。手首を固定してラケットの「面」でボールをとらえれば、ボレーの安定感は格段に増す。

そうした感覚をつかむ練習が、イスに座って行うボレー。下半身が制限されるため、余計なテイクバックやフォロースルーは必然的にできなくなる。ラケットを立てて構え、インパクトでグリップを上に押し出して、球出し係にノーバウンドで届かせる。

トレーニングの進め方

時間▶5分

Step 1

イスに座った状態でボレーの構えをする

サービスラインのやや内側にイスを置いて座る。下半身の動きが制限され、ラケットを振ることはできないはずだ。顔の高さあたりに球出ししてもらう

Step 2

グリップをしっかり握ってインパクト

ボールをよく見て、インパクトの瞬間にグリップをしっかり握る。握りが甘いと、ラケットが弾かれたり、正確なコントロールができなくなる

Step 3

ラケットを押し上げボールを飛ばす

ラケットを上に押し上げ抜くようにするとボールは飛ぶ。座っていたらラケットを振り下ろせないので、ボレーで振ってしまうクセを直すのに効果的

中堀成生のワンポイントアドバイス！ POINT! 1

テイクバックは、緩いボールに対しては大きめに。速いボールでは小さめにラケットを引き、面を作る

ココをCHECK!

□座ったままボレーができたか
□ラケットを振らなくてもボールは飛ぶということがわかったか
□球出しの足下に返せたか

コツ 25 Part 3 ボレー＆スマッシュ

手で打つ正面ボレー

拇指球を含む手のひらの下半分でボレーする

トレーニングのねらい	ボレーの基本はラケットを立てて構え、しっかり面を作ってボールをとらえること。その感覚をつかむために手のひらでボレーする

手のひらをラケットに見立ててボレー。拇指球を含む手のひらの下半分でボールに当てる

ボールをインパクトしたら上方向に押し出していく

「素手テニス」の項でも手でボレーする機会があったかもしれないが、ここでは改めてボレーのときの身体やラケットの基本的な使い方を見ていく。と言っても、いきなり球出しからボレーという流れは難しい。まずは手のひらをラケットに見立て、緩いボールを手に当てることから始めよう。

ボールをとらえるのは、拇指球を含んだ手のひらの下半分。ネットの前に立ち、緩く出されたボールに利き手を当てにいく。インパクトしたら、その手を上方向に押し出すようにして腕を伸ばす。

トレーニングの進め方

時間▶ 5分

Step 1

手のひらを
ラケットに見立てる

ラケットに見立てた手のひらにボールを当てることから始める。手のひらの真ん中や指ではなく、拇指球を含んだ手のひらの下半分でとらえる

Step 2

ボールから目を離さず
手のひらで当てにいく

出されたボールをよく見る。ヒザを軽く曲げたリラックスした構えから、タイミングを合わせて手のひらを前に出す。棒立ちにならないように

Step 3

インパクト後は
手を上方向に押し出す

インパクトしたら角度はそのままに手のひらを上方向に。同時にヒザも伸び上がり、腕も伸ばす。ラケットを使ってもこれらの動きは変わらない

中堀成生の ワンポイントアドバイス! POINT! 1

緩いボールの球出しでも恐怖感を感じてしまう場合、慣れるまでは手投げの球出しでやってもOKだ

ココを CHECK!

□手でボレーができたか
□手のひらの下半分でボールをとらえることができたか
□インパクトの後、手でボールを押し出す動きができたか

ヒザを使ってボレー

ヒザをやや曲げた状態から インパクトで伸び上がって打つ

トレーニングのねらい ボレーの基本となる正面ボレー。その第一段階として、ヒザを使ってボールを押し出す感覚を身につける

球出しは、最初のうちは緩いボールで。段階を踏んでスピードを速くしていく

ヒザの曲げ伸ばしがボレー上達の重要なポイント

腕やラケットでボレーしていては上達は望めない。もちろん、ボールを打つのはラケットで、それを操作するのは腕だが、ボレーは下半身を使うことが何よりも重要なのである。なかでもヒザの使い方が、ボレー習得のカギを握っている。

サービスラインあたりに両足を肩幅に開いて立ち、正面から打たれたボールをボレーする。このとき、ヒザはやや曲げた状態から、インパクトの瞬間に伸び上がるイメージ。ヒザを伸ばしたままインパクトしても、飛距離や威力は出せない。

トレーニングの進め方

時間▶5分

Step 1

ヒザを曲げて重心を低くし ラケットを引いて待つ

両足を肩幅に開き、リラックスした状態でラケットを顔の前に上げて構える。ボールが来たらヒザを曲げて重心を低くし、ラケットを引く

Step 2

ヒザを伸ばしながら インパクトする

ボールから目を離さず、タイミングを見計らう。ヒザを伸ばすようにしてインパクト。ラケットも振るのではなく、上方向に押し出す

Step 3

ラケットを上から下へ 叩きつけてはいけない

ラケットを上から下にボールを叩きつけるようなボレーはNG。足が棒立ちになることと、ラケットの振り方には注意しよう

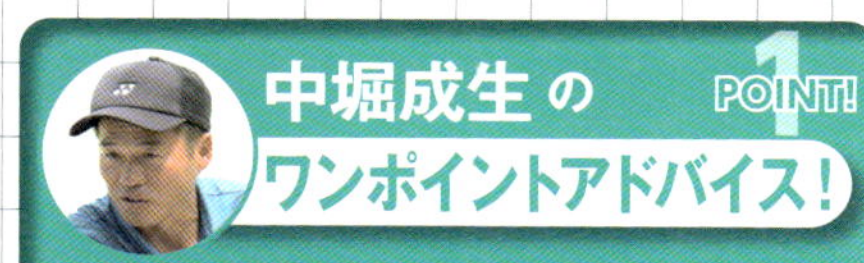

中堀成生のワンポイントアドバイス！ POINT! 1

叩きつけるボレーは相手にフォローされやすい。エンドライン付近に落ちる深いボレーを心掛けよう

ココをCHECK!

□ボレーでヒザを使うことの意味をきちんと理解したか
□ヒザを使ってボレーができたか
□深いボールでボレーができたか

Part 3 ボレー＆スマッシュ

歩きながらボレー

インパクトの瞬間に利き腕側の足を一歩踏み出す

トレーニングのねらい	正面ボレーの第二段階は、歩きながら行うボレー。歩く動作の中、右利きなら右足を踏み出すタイミングでインパクトする

足を踏み出してインパクト。ヒザが伸び上がってしまわないよう気をつける

歩くことで動きが硬くならず自然体で打てる

体が硬くなってしまいぎこちない動きにならず、普段通り自然体でボレーができるようになるために、サービスラインの２～３ｍ後方からネット方向に歩き、その中でボレーをしていく。

ラケットは顔の前に立てた状態からスタート。ラケットを持っている側の足を踏み出すタイミングでインパクトする感覚を覚えよう。インパクトの瞬間にグリップをギュッと握らないと、ラケット面がブレて、弾かれたり、ボールが思わぬ方向に飛んでしまうので注意する。

トレーニングの進め方

時間▶ 5分

Step 1

サービスライン後方から歩きながら3球打つ

サービスラインの2〜3m後方からスタート。球出しはタイミングを見ながら3球出す。歩きながらボールに対応して、ラケットをさばいていく

Step 2

1・2・3・「4」のタイミングでボレー

ラケットを持っている側の足を踏み出すタイミングでインパクト。右利きなら、左足から歩き出し、1・2・3・「4」のタイミングで打つといい

Step 3

足はかかとから地面につくようにする

足を地面につけるときはかかとから。つま先側からつけてしまうと、ヒザの曲げ伸ばしをしながら前に進めない。深いボールを返球しよう

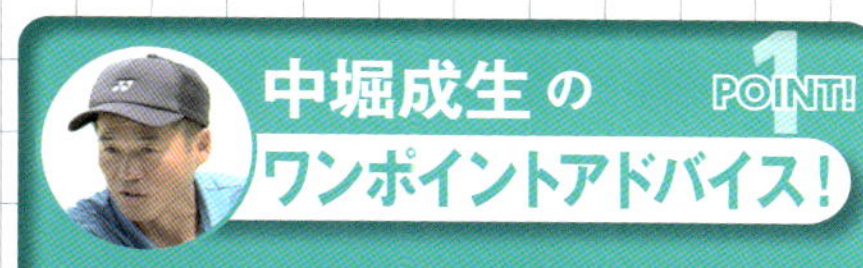

徐々に球出しのボールを速くしていく。ボールをよく見ていれば、恐怖感を持つことなく慣れていけるぞ

ココを CHECK!

□歩きながらボレーができたか
□足を踏み出すタイミングでインパクトする感覚がわかったか
□3球連続してボレーが成功したか

クロスボレーでラケットを持たずにキャッチ

細かいステップで足を運び両手でボールをキャッチ

トレーニングのねらい
ランニングボレーでラケットだけでボールを取りに行くのはＮＧ。
足を運ぶ意識を持てるように後衛のクロスボールを両手でつかみにいく

腕を伸ばしてボレーするのは最後の手段。ランニングボレーでは足を運ぶことが最優先

ラケットではなく足でボールを取りに行く

ポーチなど何歩か走り込んで行うボレーでも、理想は正面ボレーのように顔の前でボールをとらえること。よく腕を目いっぱい伸ばしてボールを取りに行く選手がいるが、それでは目とボールの距離が離れ、安定したボレーには結びつかない。

まずは打点のそばまで細かいステップで足を運び、できるだけ顔の近くでボレーする。腕を伸ばしたボレーはそれでも届かない場合の最後の手段だ。そのためにここではラケットを使わず、走り込んで手でボールをキャッチする練習をやってみよう。

トレーニングの進め方

時間▶ 5分

Step 1

ボールをよく見て躊躇せずに飛び出す

最初のうちは多少恐怖感もあるかもしれない。球出しは緩めのボールから始め、慣れてきたら次第に速くする。ボールをよく見てタイミングよく飛び出す

Step 2

顔から近い位置でボールをつかむ

なるべく顔から近い位置でボールをつかむ。キャッチすること自体が目的ではないので、両手でボールに触れられたらOK。この感覚を忘れずに

Step 3

逆クロスでも同様に足をしっかり運ぶ

ヒザの伸ばしがないまま行うボレーは、棒立ちになってボレーしているのと同じこと。ボールに勢いは生まれず、叩きつけるボレーになってしまう

中堀成生の ワンポイントアドバイス！ POINT! 1

足をしっかり運ぶことができるようになることは、ラケットを使ったときはもっと遠いボールも届くということになるぞ

ココを CHECK!

- □恐怖感を持たずに足を運べたか
- □ボールを両手でキャッチにいけたか
- □送り足が軸足の前にきたタイミングで、キャッチできたか

コツ 29

クロスボレーでラケットのシャフトを持つ

ラケットを振るクセを直し足の運びを洗練させる

トレーニングのねらい	走り込んで両手でキャッチする練習から足を運ぶ意識を持てたら、次はラケットのシャフトを両手で持ってボレーに出るトレーニング

重心を落とした低い姿勢から始動するのはボレーの基本。集中してボールを見ること

ラケットのシャフトを持ってランニングボレー

ラケットを使わない両手キャッチで、細かいステップで足を運び、顔の近くでボレーする意識づけはできただろう。

次にラケットを持ってのボレーに移るが、ラケットを持った途端、腕を伸ばしたボレーをしてしまい、足の運びがおろそかになっては意味がない。そこでラケットのシャフト部分を両手で持った構えでランニングボレーを行う。ボレーでラケットを振ってしまうクセを持っている場合も、この練習によって修正できるはずだ。最後に通常のランニングボレーで成果を見てみよう。

トレーニングの進め方

時間▶5分

Step 1

ラケットのシャフトを両手で握ってボレー

ラケットのシャフト部分を両手で握る。このまま左右に広げてもボレーできる範囲は限定される。顔の近くでボレーするなら足をそこまで運ぶしかない

Step 2

ポーチに出るときは躊躇せずに出る

実戦では、ポーチに出るということは、自分がそれまでいたサイドを空けることになる。出ると決めたら躊躇せずに、思い切って出ることが大切だ

Step 3

バックハンドも足の運びを意識する

バックハンドのランニングボレーも足の運びが生命線。スムーズにボールにアプローチできると、相手の後衛にもポーチに出る動きを読まれにくい

中堀成生のワンポイントアドバイス！ POINT! 1

腕を目いっぱい伸ばしたボレーは、足を運んでボールに近づいても届かないときの最後の手段と考えよう

ココをCHECK!

- □両手でラケットのシャフトを持ったまま、ボレーができたか
- □タイミングよく飛び出せたか
- □バックハンドでもうまく足を運べたか

ハイボレーの練習

ハイボレーはミートするか叩くのかをしっかり判断する

トレーニングのねらい 頭より高い打点でボールをとらえるハイボレー。相手からのボールに威力がないときは、得点する絶好のチャンスになるため練習しておく

クロスと逆クロスで行う。球出しは最初の２～３分は強めに、残りの時間を緩めにするといい

強打はミートし、緩いボールは叩く

頭より高いボールをボレーするときは、打点と目の位置が遠くなるため、ミスが出やすい。相手のボールが強かったらミートを心掛け、緩ければ叩いてポイントに結びつけたい。中途半端なプレーにならないように、すばやく判断すること。

練習では、ミートするためのハイボレーなのか、叩くためのハイボレーなのかを明確にする。叩くボレーのときは振り切るスマッシュのイメージを持つ。何よりもミートするのか叩くのかの瞬時の判断力が重要になる。

トレーニングの進め方

時間▶ 5分

Step 1

頭より高いボレーは ミスが起こりやすい

右利きならクロスに上げられたボールはフォアで、逆クロスに上げられたボールはバックでハイボレー。ミートするときはボールの落とし場所も考える

Step 2

叩くと判断したら テイクバックを大きくする

叩くと判断したら、ボールをよく見ながらテイクバックを大きめにとる。軸足を決めて、ボレーする位置へ入っていく。慎重かつ大胆な動きで

Step 3

ラケットを振り切り 鋭く思い切り叩く

ラケットを振り切る鋭いスイングで思い切って叩く。ジャンプしてのハイボレーではラケットを持たない方の腕でバランスをとる

中堀成生の ワンポイントアドバイス! POINT! 1

バックハンドのハイボレーは難易度が高いため、よほどのチャンス以外はミートを心掛けたい

ココ を CHECK!

- □ハイボレーをマスターできたか
- □ミートするボールと叩くボールをきちんと判断できたか
- □バックのハイボレーを試せたか

コツ 31 Part 3 ボレー＆スマッシュ

ローボレーの練習

腰を落として重心を低くし ラケットを下から上に動かす

トレーニングのねらい	一発では得点になりにくいが、次のプレーの“つなぎ”になるローボレー。ネットよりも低いボールを正確に返せるようになろう

クロス、もしくはストレートで。ベースライン付近で出されたボールをローボレーで返す

手だけで処理せず低い姿勢でテイクバック

　ローボレーは足元を狙われたときなどに打つボレーであるため、ラケットを横にして扱う。その点が正面のボレーやハイボレーとの大きな違いだ。

　ローボレーをすると判断したら、ヒザを曲げ、腰を落として重心を低くする。手だけで処理しようとすると、ハイボレーでもそうだったように、打点と目の位置が遠くなり、ミスを起こしやすくなる。低い姿勢でテイクバックをとり、ラケットを下から上に持ち上げるように打つとボールはうまくネットを越える。

トレーニングの進め方 時間▶ **5分**

Step 1

ヒザを曲げて腰を落とした低い姿勢で構える

ローボレーはヒザを曲げ、腰を落として低い姿勢で構える。ボールが低ければ、構えもより低く。ボールが顔から離れるので、腕を伸ばして処理しない

Step 2

全身で伸び上がるようにラケットは下から上に

全身で伸び上がるように柔らかいタッチでインパクト。ラケットはハイボレーなどと違って横に寝かせ、下から上に持ち上げるように。大振りをしない

Step 3

前かがみにならずに胸を張るように打つ

バックも考え方はフォアと同じ。重心を落とした姿勢から伸び上がるようにして、ボールを運ぶ。上体が前かがみにならないように胸を張って打とう

上級者にならないとローボレーでの得点は望みにくい。まずはきちんと相手に返すことを優先させたい

ココをCHECK!

- □ローボレーで返球できたか
- □低い姿勢から伸び上がるという身体の使い方を理解できたか
- □バックでもきちんとボレーできたか

コツ 32 Part 3 ボレー&スマッシュ

ストップボレーでカゴに入れる

ラケットコントロールを磨きボールの勢いを吸収する

トレーニングのねらい	狙うコースが他にないときや相手の意表をつきたいときに有効なストップボレー。ネット際に置いたカゴを狙うトレーニング

ネットから近い位置にカゴや箱を置き、そこに入れられるようにストップボレー

カゴの中に収まるようなストップボレーを目指す

ストップボレーはネット際に落とすプレーであり、打たれたボールの勢いを殺すことがポイント。重心を低くしてすばやくコースに入り、身体をできるだけネットに近づけたら、テイクバックはとらずに、ラケットを立てて面を固定する。インパクトの瞬間、ラケットを軽く引くようにすると、ボールの勢いをうまく吸収できる。

落としたい位置にカゴや箱を置き、その中に入るようなストップボレーを練習しよう。タテ面でボレーができればディフェンスボレーもできるようになる。

トレーニングの進め方

時間▶ 5分

Step 1

身体をネットに寄せ低い姿勢で構える

低い姿勢でボールが飛んでくるコースに入る。ネットから離れてポジションを取ると、それだけ難易度が高くなるので、身体はできるだけネットに寄せる

Step 2

ラケットを引いてボールの勢いを殺す

ラケットは立てた状態で、テイクバックは取らずに面を固定する。インパクトの瞬間にラケットを軽く引くイメージで、ボールの勢いを吸収する

Step 3

ボールを上から見て恐怖心は持たない

恐怖心は持たないように。ボールを上から見て落ち着いて処理すれば、問題はない。確実にポイントが決まるまで油断せず、次のプレーの準備をしておく

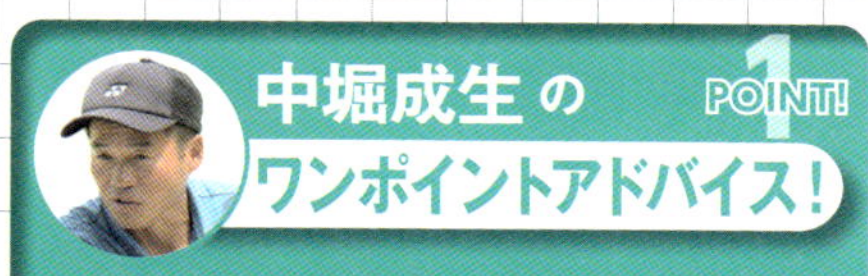

中堀成生のワンポイントアドバイス! POINT! 1

ネット際に落とすのが難しいときは、初めはカゴをネットから離して置き、少しずつ近づけていくといい

ココをCHECK!

□ストップボレーの打ち方を理解できたか
□恐怖心なく、すばやくコースに入れたか
□ボールの勢いをうまく殺して、ボールをカゴに入れられたか

コツ 33 Part 3 ボレー&スマッシュ

スマッシュ・ボールを手でつかむ

打点の感覚をつかむために頭上でボールをつかむ

トレーニングのねらい	頭の上のもっとも高い打点で打つスマッシュ。打点の位置感覚をつかむため、上げられたボールを空いている手でキャッチする

ラケットを持っていない方の手でボールをつかむ。すばやく落下地点に入ることが必要

利き腕とは逆の手を真上に伸ばしてボールをつかむ

前衛にとって最大の得点チャンスとなるスマッシュは、ボールの落下地点をすばやく見極め、そのポイントにすばやく移動することから始まる。打点は頭上のもっとも高いところで。腕が真上ではなく、右上に伸びた状態でラケットを振ろうとする選手が多いので、頭の真上で、利き腕ではない側の手を伸ばしてボールをつかむ練習を行い、正しい打点の位置を覚える。

落下地点までは、ラケットを立てて肩のあたりで持ち、右利きなら左半身になってボールを追うとスムーズに動ける。

トレーニングの進め方

時間 ▶ 5分

Step 1

打点がずれると不安定なスイングになる

スマッシュでよくある間違った動き方の一つに、打点の位置が右上にずれたり、前すぎたりすること。それでは身体がブレ、安定したスイングができない

Step 2

ラケットが届く頭上の最高点で打つ

正しい打点は頭の真上の、ラケットが届くもっとも高いところ。イースタンかセミイースタンに持ち替えてこの打点で打てば、強力なショットを生み出せる

Step 3

ボールの落下地点にすばやく移動する

ラケットを持っていない方の手でボールをキャッチ。そのためにはボールの軌道から落下地点を判断し、半身になってすばやく移動することが重要だ

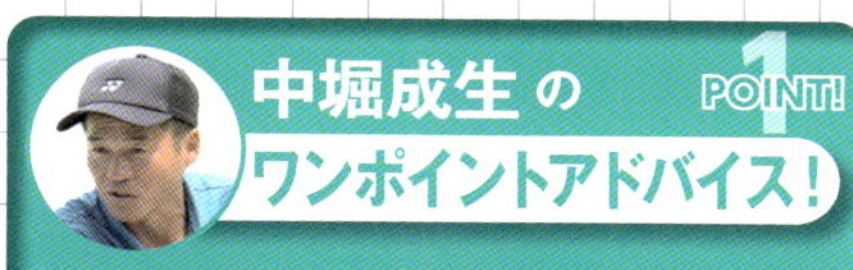

中堀成生の ワンポイントアドバイス！ POINT! 1

深めのボールを上げてもらい、ジャンピングスマッシュの形でボールをつかむ。難易度は高いが実践してみよう

ココ を CHECK!

- □頭上の最高点の感覚をつかんだか
- □ボールの落下地点を判断し、半身ですばやく移動できたか
- □頭の上でボールをキャッチできたか

コツ 34

スマッシュの基本練習

ラケットを放り投げるような イメージで振り抜く

トレーニングのねらい	高く上がってきたボールを正しいフォームでスマッシュ。球出しも左右に振ったり、深いボールを織り交ぜるなど変化を加える

スマッシュは前衛の最大の得点チャンスである。確実にポイントに結びつけよう

足の運びとフォームを意識してスマッシュ

頭上でのボールキャッチで打点の位置感覚を覚えたら、実際にボールを打ってみる。上げられたロビングに対し、すぐさま落下地点を察知して移動する。ラケットを立てて肩のあたりで持ち、右利きの選手は左半身になってボールを追う。

ボールの真下に入ったら、軸足となる後ろ足に体重を乗せてテイクバック。ラケットを持っていない腕を伸ばすと、ボールとの距離感が測りやすい。打ちやすいグリップで、頭上の最高点でボールをとらえ、ラケットを放り投げるように振り抜く。

トレーニングの進め方　時間▶5分

Step 1

ボールを追うときは半身で肩にラケットをかつぐ

前後左右と高さ、球出しで上げられるボールの質を変化させて、いろいろなロビングに対応できるようにしたい。どのボールも半身の姿勢で追いかける

Step 2

腕をまっすぐ真上にボールとの距離を測る

落下地点に入ったら、後ろ足を軸足にし、ラケットを後方に引く。頭上でのボールキャッチでやったように、上に向かって弓を引くイメージで腕を伸ばす

Step 3

放り投げるようにラケットを振る

ラケットを放り投げるように振り抜く。打点は頭の上のもっとも高いポイントで。イースタンかセミイースタングリップで打つとスイングがスムーズになる

中堀成生のワンポイントアドバイス！ POINT! 1

ジャンピングスマッシュは体勢を崩しやすいため、7～8割の力でスイングするとミスを減らせるぞ

ココをCHECK!

□正しいフォームを覚えたか
□頭上の高い打点でスマッシュを打てたか
□前後左右や高さに変化をつけたロビングを確実にスマッシュできたか

8本連続打ち

様々なコースを対処するため前衛のプレーと対応力が養える

トレーニングのねらい	様々なコースに８本連続で出されるボールを１人で対処する。これまで学んだボレーやスマッシュを今一度、おさらいしよう

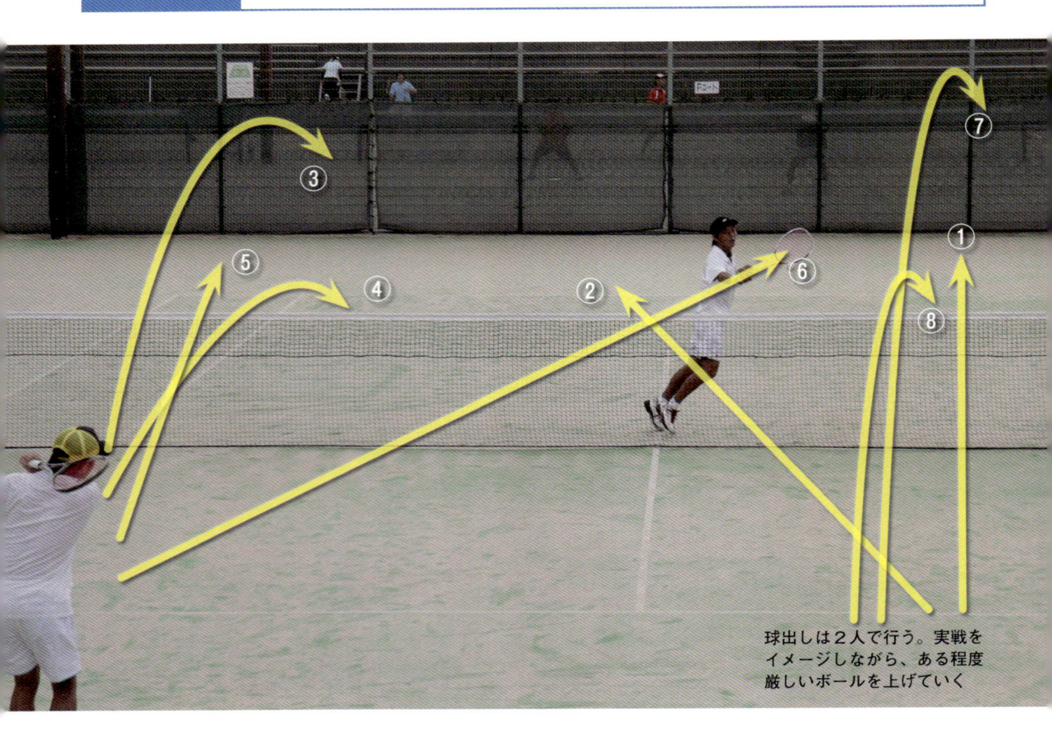

球出しは２人で行う。実戦をイメージしながら、ある程度厳しいボールを上げていく

これまでに学んだ前衛のプレーをおさらいする

右利きの選手の場合、①ストレートボールをバックボレー→②クロスボレーをフォアでボレー→③後方に下がりながらスマッシュ→④ストレートボールをフォアでローボレー→⑤前進して正面ボレー（ストップボレーでも可）→⑥逆クロスのボールをバックボレー→⑦左後方に下がりながらスマッシュ（可能であればジャンピングスマッシュで）→⑧ストレートボールをバックでローボレー。これまで学んだことを整理しながら、正しいフォームで打てるように。スマッシュではグリップを握り替えよう。

トレーニングの進め方

時間▶10分

Step 1

最初の2本のボレーは クロスコートから球出し

最初の2本のボレーはクロスコートからの球出し。相手後衛をけん制する動きを加えたり、きっちりコースを狙うことで、より実戦に近い練習になる

Step 2

打ち終わったら すぐに待球姿勢をとる

スマッシュを含むここからの4本は、すべて逆クロスコートから。細かいステップですばやく移動し、どんなボールにも対応できる待球姿勢を作っておく

Step 3

最後のボレーまで 気を抜かずに集中する

ラスト2本は再びクロスコートからの球出し。この練習では、最後の2本あたりが体力的にきつくなってくる。集中力を持続して正しいフォームで打とう

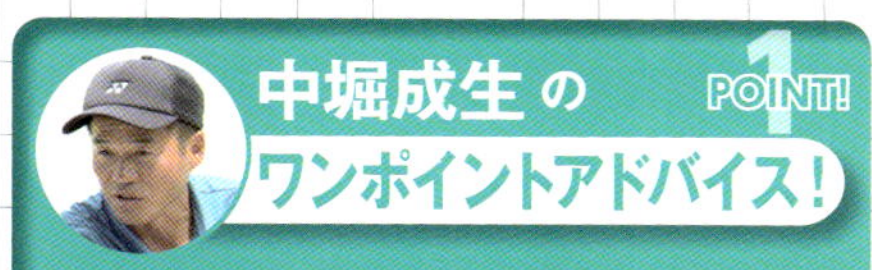

中堀成生の ワンポイントアドバイス! POINT! 1

球出しする側のコートに前衛を立たせておくと、どのコースを狙えばいいかがイメージしやすくなる

ココを CHECK!

□8本連続でボールに対応できたか
□それぞれのプレーを正しいフォームから決めることができたか
□グリップの持ち替えがスムーズだったか

ソフトテニス用語集

ソフトテニスをプレーする上で
知っておくべき専門用語を紹介！
ここではルールに関する用語を解説する

▶**アンパイヤー** (umpire)
正審、副審、線審の総称。

▶**アドバンテージ** (advantage)
デュース後、サーバーまたはレシーバーが1ポイント取ること。

▶**インターフェア** (interfere)
①有効にサービスされたボールがツーバウンドする前に、レシーブするプレーヤーのパートナーのラケット、身体またはウェアに触れた場合（＝サーバーのポイント）。
②レシーブをするプレーヤーがレシーブを終える前に、パートナーがそのサービスコートに触れた場合（＝サーバーのポイント）。
③ラケットや体、ウェアが、相手のコート、相手のラケット、体、ウェアに触れた場合（＝相手のポイント）。
④手から離れたラケットで返球した場合。
⑤その他、明らかな打球妨害になる場合。

▶**オーバーネット** (over net)
ネットを越えてボールに触れること（相手のポイント）。このときのコールは「ネットオーバー」。

▶**キャリー** (carry)
ラケット上にボールが静止した場合。また、ラケットの三角形の空間にボールが挟まって止まった場合（＝相手のポイント）。

▶**コレクション** (correction)
正審がコールまたはカウントを誤ったとき、訂正するためのコール。

▶**タッチ** (touch)
インプレーでラケット、身体、ウェアなどが審判台、もしくはアンパイヤーに触れた場合（＝相手のポイント）。

▶**チェンジサイズ** (change sides)
奇数ゲームを終わるごとにサイド交替し、サービスを相手と交替することを命ずるコール。ファイナルゲームでは2ポイントごとにサービスチェンジを行い、最初の2ポイントと以後の4ポイントごとにサイドチェンジを行う。

Part 4

サーブ＆レシーブ

コツ 36

トスをカゴに落とす

ボールを軽く握ってひじを伸ばし、丁寧にトスを上げる

トレーニングのねらい	頭の上から打つオーバーハンドサーブは、ボールを投げ上げるトスの出来が成功のカギ。正確なトスを上げられるようになろう

どのコースを狙うか、どれほどの強さのサービスを打つかでトスの位置は微妙に変わる

軽く握ったボールをトスして、そのままカゴに入れる

トスを上げるとき、ボールは親指、人差し指、中指の３本に、薬指を添えるぐらいの感覚で軽く握る。ひじを伸ばしたまま、やさしく丁寧にトスアップ。ボールの高さは少なくとも打点より高く。同時にラケットを持つ腕も後方から上げていき、背中の後ろに構える。この後、スイングはしない。

トスしたボールがあらかじめ置いておいたカゴに入ればＯＫ。何度もカゴから外れたら、安定したトスが上がっていないということ。どこでもできる練習なので、時間を見つけてやってみよう。

トレーニングの進め方

時間▶ 5分

Step 1

ボールは3本の指で軽く握ると投げやすい

トスの際、ボールは手のひら全体できつく握らない。親指、人差し指、中指の3本に、薬指を添えるように軽く握ると、思った方向に投げ上げやすい

Step 2

ひじを伸ばしてやさしく丁寧に上げる

ひじを伸ばしたまま、やさしく丁寧にボールを投げる。基本的には左肩の上あたりに。左のコースを狙いたい場合は、上げる位置が少し右側にずれる

Step 3

スイングはしないでボールをカゴに入れる

ここでは構えまで。スイングはせず、ボールをそのまま下に落とす。何度か試し、あらかじめ置いておいたカゴに入れれば、トスが安定している

中堀成生の ワンポイントアドバイス！ POINT! 1

トスの高さは高すぎても低すぎてもいけない。自分が打ちやすい高さをきとんと知っておくようにする

ココを CHECK!

- □リラックスしてトスアップできたか
- □連続してボールがカゴに入ったか
- □狙うコースによってトスの位置が変わることを理解したか

Part 4 サーブ＆レシーブ

サービスの足の運び練習

強烈なサービスを打つには体重移動からのタメが重要

トレーニングのねらい	オーバーハンドサーブが安定しないのは、トス以外には足の運び方に問題がある。前の足を動かさないように注意するための練習だ

右利きの選手はトスが上がりきった瞬間、左脚に体重を乗せることで力強いサービスが打てる

右利きは左脚に「タメ」を作ってスイングに入る

強烈なサービスを生み出すには、体重移動からの「タメ」が必要。右利きのオーバーハンドサービスでは、肩幅よりやや広めに開いたスタンスから、トスを上げるとともに右足を左足の横に寄せていく。

このとき、深く曲げた左ヒザに重心を移動させることで力の「タメ」ができるわけだが、トスを上げてから左足を踏み出す選手が少なくない。これでは「タメ」ができないだけでなく、フットフォルトの反則を犯しかねない。左足を固定させる足の運びでサービスを打てるようにしたい。

トレーニングの進め方

時間▶ 5分

Step 1

最初の重心は左右均等か後ろ足にする

肩幅よりやや広めにスタンスをとり、右利きなら左手でヒジを伸ばして丁寧にトスを上げる。このとき重心は左右均等、もしくは右足に乗せておく

Step 2

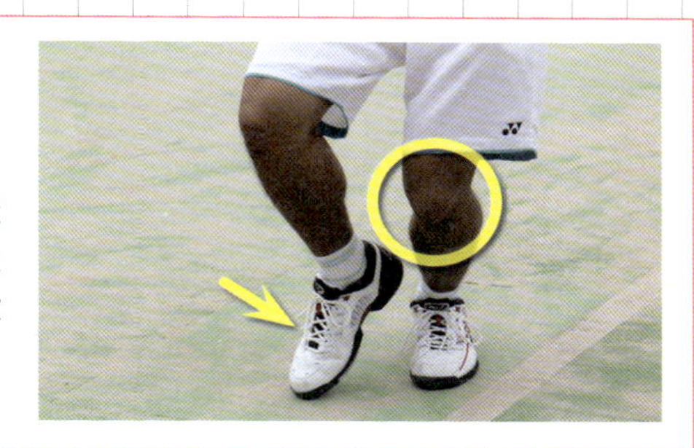

深く曲げた左足に力の「タメ」ができる

右足を左足の横に寄せ、左足はヒザを深く曲げる。この時点で重心はすべて左足に。この「タメ」がインパクト時に解放され、強烈なサービスを生み出す

Step 3

左足を踏み出すのはタメができない悪い動き

悪いサービスのよくある例。トスを上げた後に左足を踏み出して打っている。フットフォルトになる可能性が高く、「タメ」もできない。左足は固定する

中堀成生のワンポイントアドバイス！ POINT! 1

足の運びに加え、ひねった上半身の反動を生かしてインパクトすると、さらに威力のあるサービスになるぞ

ココをCHECK!

- □足の運び方を理解できたか
- □右足を深く曲げた左脚に寄せて、「タメ」を作れたか
- □そのフォームからサービスを打てたか

コツ 38 Part 4 サーブ＆レシーブ

ヒザ立ちサービス

ラケットを背負った形から ラケットを上方向に抜く

トレーニングのねらい	トスが上がった後はスイングへ。ラケットを上方向に抜くイメージをつかむ練習として、両ヒザをついてサービスを打つ

ヒザをついて打つことで、ラケットを上の方に振らざるを得なくなる

両ヒザ立ちで振り下ろすとラケットが地面にぶつかる

オーバーハンドサーブでトスがきちんと上がったら、次はスイングに移っていく。肩の後ろにラケットを背負った形から、頭上のやや前あたりのもっとも高い点でボールをとらえ、そのまま下に振り下ろす。

ただし、イメージとしてはラケットは上方向に抜く感じだ。両ヒザ立ちの状態からサービスを打ってみると、振り下ろしたときにラケットが地面にぶつかってしまうため、振り下ろす意識は軽減される。ボールがネットにかかるミスも減るに違いない。上に抜くラケットのさばき方を覚えよう。

トレーニングの進め方

時間▶ 5分

Step 1

両ヒザをついて トスを上げる

両ヒザを地面についた状態でトスを上げ、テイクバックからスイングを開始する。打点は頭の真上からやや前あたりの、ラケットがもっとも高く届くところ

Step 2

振り下ろさずに 上の方向へ抜く

インパクト後、ラケットを振り下ろそういう意識が強いと、地面にぶつかってしまう。振り下ろすというよりも、上の方向へ抜くというイメージだ

Step 3

うまく抜ければ 相手コートに収まる

上の方向へうまく抜くことができれば、ボールはネットを越えて相手コートに収まるはず。実際にサービスを打つ練習までに、この感覚を忘れないこと

中堀成生の ワンポイントアドバイス！ POINT! 1

スムーズにラケットを振れないとき、最初はラケットを短めに持って打ってみるとうまくいく

ココ を CHECK！

□両ヒザをついてスイングできたか
□両ヒザをついてサービスを打てたか
□振り下ろすのではなく、上の方向に抜く意識を持てたか

コツ 39

Part 4 サーブ＆レシーブ

肩甲骨を意識させてのサービス練習

インパクトで肩とひじのラインを一直線にする

トレーニングのねらい	インパクト時に肩、ひじ、グリップ、ラケットのすべてが一直線になるようにする練習。肩甲骨をうまく使えるようにしよう

肩甲骨の可動域は広ければ広いほどいい。日頃からストレッチなどで柔らかくしておこう

肩を起点にタテの回転運動の軌道を描く

足の運びで「タメ」を作る間に、ラケットを肩の後ろに持ってきてテイクバックを完了させる。ここからラケットを上方向に抜くようにスイングしていくが、その過程でのポイントは肩甲骨をうまく使えるかどうか。肩とひじのラインが肩を起点にタテの回転運動の軌道を描き、インパクトの瞬間は、後方から見たときに肩、ひじ、グリップ、ラケットのすべてが一直線になるのが理想だ。肩とひじのラインが横や斜めになっていたらＮＧ。ストレッチなどで普段から肩甲骨の可動域を広げておく。

トレーニングの進め方

時間▶ 5分

Step 1

テイクバックから肩甲骨を使う動き

テイクバックを終え、十分にタメを作った姿勢。肩甲骨に柔らかさがないと、この時点できついと感じてしまう。強力なサービスには不可欠な要素だ

Step 2

肩とひじのラインがタテ回転の軌道になる

スイングに入ったら、肩を起点に、肩とひじのラインがタテ回転の軌道を描く。このままスイングを続けると、肩からラケットまでが一本の直線で結ばれる

Step 3

肩甲骨が使えないと良いサービスは打てない

肩とひじのラインが斜めになり、タテ回転をしていない。これでは十分にタメを作れたとしても、鋭いスイングにならず、力強いサービスも打てない

両手の指先を左右それぞれの肩に乗せて肩を回すだけでも、肩甲骨はほぐされ、ポイントとなる柔軟性が増す

ココをCHECK!

□肩からひじをどう回転させるか理解したか
□インパクトする際に肩からラケットまでが一直線になったか
□肩甲骨の柔軟性が高まったか

３ヶ所からサーブを打つ

打つ距離の段階を踏んでサービスの距離感をつかむ

トレーニングのねらい	初級レベルの選手やサーブがネットすることの多い選手は、最初は近づいて打つようにし、徐々に距離を伸ばしていき調整する

前の方に出て相手のサービスコートを見ると、後ろから見るよりも広く感じるはず

オーバーするくらいでOK。ネットにはかけない

サービスの打ち方や身体の使い方を理解しても、実際に打ってみると、初級レベル者はネットの高さやサービスコートまでの遠さに戸惑うかもしれない。そういうときは、前に出てネットに近づいた状態で練習する。慣れるにしたがって、距離を伸ばし、エンドラインから打てるようにする。

最初はサービスラインから。ここでネットにかけてしまうと、通常のサービスもネットを越えない。オーバーするくらいの気持ちでいいだろう。次の段階として、サービスラインとエンドラインの間から打つ。

トレーニングの進め方

時間▶ 10分

Step 1

最初のサービスは サービスラインから

初級レベル者はネットに近づいてサービス練習を始める。ここでネットにかけてしまうと、通常のサービスもネットを越えない。オーバーするくらいでいい

Step 2

打つ位置を下げて サービスを入れる

サービスラインから何本か打ったら、次にサービスラインとエンドラインの間あたりから。きちんとコントロールして、サービスコートに入るようにしたい

Step 3

正しいフォームで 通常の位置から打つ

最後に通常の位置からサービスを打っていく。正確なトスアップ、足の運びと「タメ」、肩甲骨を意識したスイングなど、正しいフォームを改めて確認する

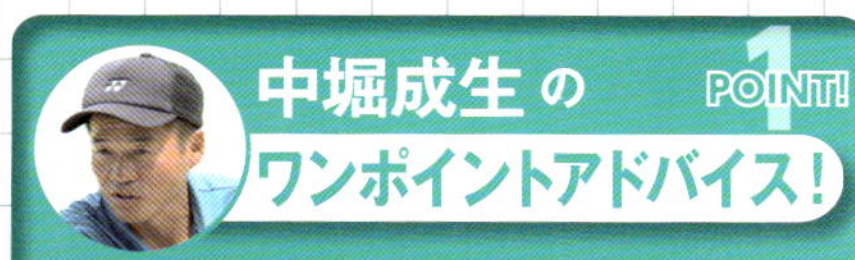

ラケットを振り下ろそうという意識が強すぎるとネットにかかりやすい。上方向に抜くイメージでサーブを打とう

ココをCHECK!

□サービスラインからネットを越せたか
□サービスラインとエンドラインの間から打って入れられたか
□通常の位置からサービスが入ったか

サービスの打ち分け練習

コースの打ち分けができると試合を優位に運べる

トレーニングのねらい	サービスコートにある程度入れられるようになったら、次はコースを狙って打つ。カゴなどの目標物を置く練習をすれば狙いを定めやすい

まずはサービスセンターラインとサービスサイドライン上の２コースを打ち分ける

目標物をしっかり見て狙ってサービス

ある程度サービスが入るようになったら、次はコースの打ち分け練習。たとえば、相手の後衛がバックハンドを苦手としていたらセンター方向を狙うなど、サービスでコースを打ち分けられると、実戦でも試合を優位に運ぶことができる。

練習方法としてはストロークと同様、目標物を狙うのが効果的。サービスコート内のセンターラインとサードライン上に置いたカゴやマーカーに当てるように打っていこう。構えたときにそのポイントをしっかり見て狙うことが大切である。

トレーニングの進め方

時間▶10分

Step 1

２つのコースに目標物を置く

サービスコート内のセンターラインとサードライン上（もしくはラインの内側）にカゴやマーカーを置き、それを狙って打つ。目標物があると狙いを定めやすい

Step 2

狙うコースをよく見てアバウトに狙わない

「なんとなくあのあたりを狙う」というアバウトな気持ちではなく、「このコースに」という気持ちが重要。構えたときに打ちたいコースをしっかり見ておく

Step 3

相手の弱点を攻めたり味方を生かす打ち分け

相手が苦手としているコースを狙う、パートナーのポーチを生かすためにセンターに攻めるなど、きちんと打ち分けられると試合の運び方にも幅が出る

中堀成生の ワンポイントアドバイス！ POINT! 1

目標に当てられるようになったら、最後は目標物がない状態で。同じように打ち分けができるようになろう

ココを CHECK！

- □漠然と狙うのではなく、構えたときに狙うコースをよく見たか
- □目標物に当てるサービスを打てたか
- □目標がなくても打ち分けができたか

Part 4　サーブ＆レシーブ

42 カットサーブの打ち分け練習

コースを狙うことに加え沈むボールを心がける

トレーニングのねらい	やり方はP96のオーバーハンドサーブと同じ。サービスコートのライン上に置いた目標物を狙う。バウンドはできるだけ小さくしよう

コースの打ち分けは、左右と長短を考えて練習しよう

コントロールしづらいカットサーブを打ち分ける

低い打点から鋭い回転をかけ、極力バウンドを抑えるカットサービス。イースタングリップでラケットを短めに持ち、オープンスタンスの構えから、ボールの下をこするように打つ。回転が多ければ、相手レシーバーのミスを誘いやすいが、反面、きちんとコントロールするのが難しい。

コースの打ち分けはオーバーハンドサービスのときと同様、２コースに置いた目標物を狙う。そして、サービスの長短を工夫したい。短いサービスは相手は対応がしづらくなる有効なサービスとなる。

トレーニングの進め方

時間▶ 10分

Step 1

ラケットを短く持ち オープンスタンスになる

カットサービスは、イースタングリップでラケットを短めに持つと、ボールに回転をかけやすい。両足は肩幅よりやや広く、オープンスタンスで構える

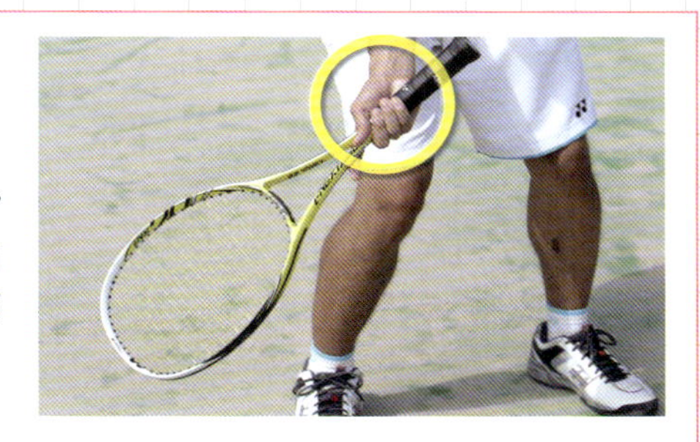

Step 2

ラケット面を水平に 大きめにテイクバック

よく見てコースの狙いを定めたら、ラケット面を水平にしたままテイクバック。ボールから目を離さず、ボールを落とすようなイメージでトスアップ

Step 3

ヒザより低い位置で ボールの下をこする

ヒザよりも低い位置で、ボールの下をこするようにインパクトする。回転が多い打ち方ほど難易度が高いが、それだけ相手がレシーブしづらくなる

中堀成生の ワンポイントアドバイス！ POINT! 1

コースの打ち分けは、構えたときの向きで調整するか、打点の位置を左右にずらすことで可能になるぞ

ココを CHECK!

- □カットサービスを打ち方を理解したか
- □カットサービスが入るようになったか
- □左右の打ち分けと長短が工夫できたか

コツ 43

レシーブのコース打ち分け

甘いサービスはコースを突いたレシーブで攻める

トレーニングのねらい	相手前衛を置いた状態でサービスを打ってもらい、ストレート、センター、クロスをきちんと狙ってレシーブするのがねらい

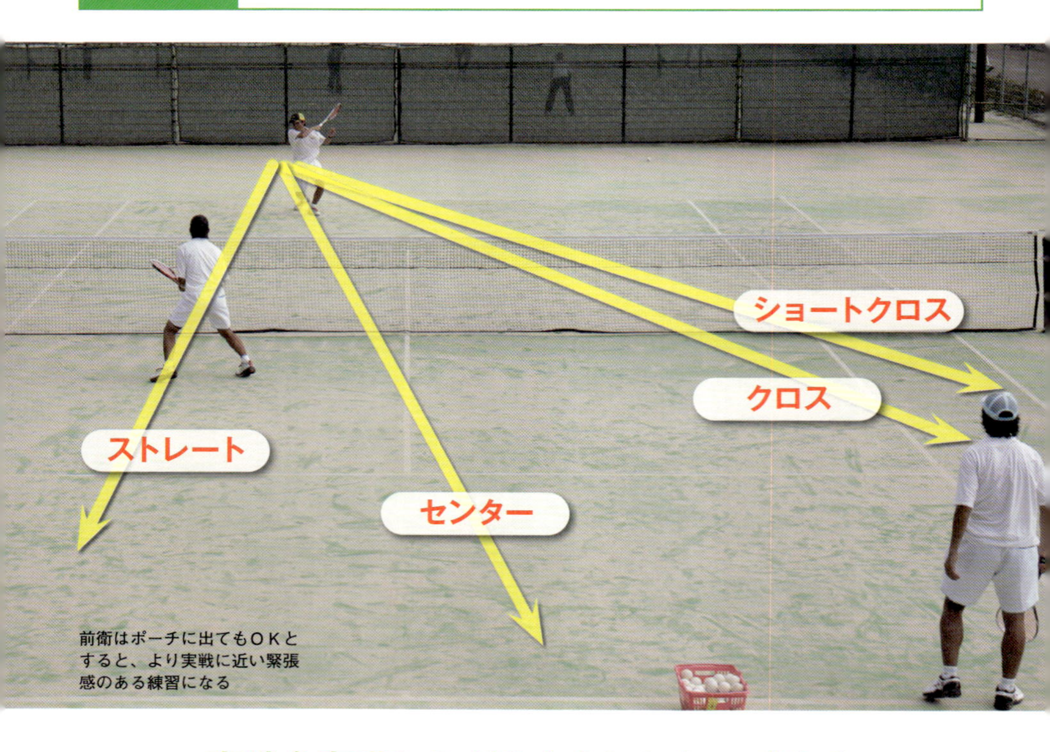

前衛はポーチに出てもＯＫとすると、より実戦に近い緊張感のある練習になる

実戦を意識しながら自在にレシーブする

サービスできちんとコースを打ち分けられ、かつ威力があれば、レシーブ側よりもサービス側が有利なのは言うまでもない。しかし、甘いコースにサービスが入ってきたときやセカンドサービスでは、その立場は一気に逆転する。相手コートに前衛を立たせ、サービスされたボールをレシーブで打ち分ける練習を行う。クロスの厳しいコースで後衛をコート外に追いやるのか、センターを突いてパートナーのチャンスボールを作るのか、前衛のサイドを抜くのか。狙いを明確にして取り組もう。

トレーニングの進め方

時間▶ 10分

Step 1

同じフォームで コースを打ち分ける

セカンドサービスのときなどはレシーブ側のチャンス。どのコースにレシーブする場合でも、ストロークを打つときと同様、できるだけ同じフォームで打つ

Step 2

サービスの質を 瞬時に見極める

積極的に攻めるのか、安全第一の返球をするのか。サービスされたボールの質を瞬時に見極める。サービス側に入る前衛はレシーブする選手に揺さぶりをかける

Step 3

前衛のポジションを見極め 空いたコースを狙う

レシーブする側は、相手前衛のポジションを見極めて空いていたコース（ストレート）を抜く。この展開に持ち込めれば、そのポイントで主導権を握れる

中堀成生の ワンポイントアドバイス！ POINT! 1

セカンドレシーブだとしても、攻める気持ちを持つことを意識することが大切だ

ココを CHECK!

□サービスの質をすばやく判断できたか
□相手前衛の動きに惑わされなかったか
□クロス、センター、ストレートの打ち分けができたか

Part 4　サーブ＆レシーブ

前衛のレシーブの考え方

相手の後衛が打つ前に ネットにつけるレシーブを狙う

トレーニングのねらい	相手の前衛を狙う前衛アタックなど、一打で得点になるレシーブを除き、どんなレシーブが良いレシーブなのかを考える

ネットにすばやく詰める時間を確保するには、深いレシーブやロビングが有効

深いレシーブを意識しつつ状況で打ち分ける

前衛はレシーブをしたらネットに詰める。しかし前へのダッシュの途中、体勢が整っていないときに攻撃されたら守勢にまわらざるを得ない。それでは、どんなレシーブが有効なのか。ベストは、相手の後衛が打つ際にすでにネットにつけるような深いレシーブだ。同じ意味でロビングも効果的。前衛の頭を越すストレートのロビングなら相手の後衛を走らせるメリットもある。右利きの場合、身体の正面に来たサービスはバックハンドで。それによって２～３歩は少ない歩数でネットにつける。

トレーニングの進め方

時間▶ 10分

Step 1

深いボールやロブで時間を確保する

レシーブは深く打つと、相手の後衛にボールが届くのに時間がかかり、自分自身がネットに詰めていく時間を確保できる。ストレートへのロビングも効果的

Step 2

前に詰めていないと攻められやすくなる

ネットに詰めていた方が相手の狙うコースを狭めることができる。ローボレーに絶対的な自信がある場合以外は、できる限りすばやくネットに詰める

Step 3

フォアに回り込むとネットまで遠くなる

右利きの場合、身体の正面を突かれたサービスはバックハンドで返すようにする。フォアハンドに回り込むより2～3歩は少ない歩数でネットにつける

中堀成生のワンポイントアドバイス! POINT! 1

相手のサービスが甘いときは前衛アタックやセンターを狙い、積極的に攻めていくこと

ココを CHECK!

□前衛に有効なレシーブを理解したか
□深いレシーブや相手前衛の頭を越すロビングでレシーブできたか
□甘いレシーブは積極的に攻められたか

ソフトテニス用語集

ソフトテニスをプレーする上で
知っておくべき専門用語を紹介！
ここではルールに関する用語を解説する

▶チップ (tip)
ボールがラケットのフレームに触れて返球できなかった場合（＝相手のポイント）。

▶デュース (deuce)
ゲームにおいて双方が3ポイントずつ、ファイナルゲームでは6ポイントずつ得たときの正審のコール。スリーオールデュースとは言わず、「デュース」のみ。

▶トス
①サーブのときにボールを空中に投げること。
②試合前にサーブとサイドを決めるための方法。ラケットやコイントスで行う。

▶ドリブル (dribble)
ボールが2度以上ラケットに当たった場合。インプレーのときは相手のポイント。サービスのときはフォールト。

▶ネットタッチ (net touch)
インプレーでラケット、身体、ウェアなどがネットやネットポストに触れた場合（＝相手のポイント）。

▶ノーカウント (no count)
何らかの事故により、そのポイントを採点しないで第1サービスからやり直すこと。

▶フォールト (fault)
サービスが無効な場合の正審のコール。

▶ボディタッチ (body touch)
インプレーのボールが身体、ウェアなどに触れた場合（＝相手のポイント）。

▶マッチポイント (match point)
その試合において勝負を決する得点。

▶レット (let)
サービスのやり直しを示すコール。

Part 5

実戦練習と戦術練習

ストローク&ボレー

ストロークとボレーをベースにラリーを続ける

トレーニングのねらい	前衛と後衛が同時にできる実戦練習。後衛がベースラインから打つストロークを、前衛がボレーで返し、それを続ける

前衛はネットの最前線まで詰めない。ネットから４～５ｍ離れ、ボールをつなげる

後衛はストロークで前衛はボレーでラリー

シンプルにもかかわらず、前衛と後衛が同時にできる実戦練習が、後衛のストロークを前衛がボレーで返球し、それを繰り返していくというもの。フォア、バックの偏りをなくすためにもストレートで行うのがベターだ。前衛はネットから４～５ｍ離れ、ローボレーなどで後衛の近くにバウンドさせる意識で打つ。ここではポイントを決めようとしなくていい。後衛は時おりロビングを交えて、前衛にスマッシュの機会を作ってあげよう。強烈なスマッシュを返球するスマッシュフォローの練習にもなる。

トレーニングの進め方

時間▶ 10分

Step 1

多彩なショットで ラリーに変化をつける

ストロークとボレーでラリーを続ける。リズムが出てきたら、いろいろなショットを交えてラリーに変化をつけていこう。バックハンドでも積極的に打つ

Step 2

前衛はローボレーで ボールをつなぐ

前衛はネットに詰めないで、サービスラインのやや前あたりにポジションを取る。ボレーもここでは「決める」意識ではなく、後衛に確実につなぐようにする

Step 3

ロビングを上げて スマッシュ&フォロー

後衛は時おりロビングを上げ、前衛にスマッシュを打たせる。深いロビングはジャンピングスマッシュの練習に、後衛はスマッシュフォローの練習になる

中堀成生の ワンポイントアドバイス! POINT! 1

互いに相手までの距離が近いため、返球されるまでのタイミングが早い。すばやく待球姿勢を作る

ココを CHECK!

- □ストロークとボレーでラリーを続けることができたか
- □いろいろなショットを試したか
- □スマッシュを取り入れたか

コツ 46 Part 5 実戦練習と戦術練習

サーブレシーブからローボレー

サーブ＆レシーブ後の返球をローボレーでつなぐ

トレーニングのねらい	前衛のサービス、およびレシーブ後のネットへのすばやい詰めと、後衛のストロークをローボレーでつなぐ実戦練習

前衛は、自分がサービスおよびレシーブをした直後、ネットにすばやく移動する

サービス＆レシーブ後、前衛はすばやくネットへ

後衛のストロークを前衛がボレーで返して続ける練習の発展系として、前衛のサービスおよびレシーブからのストローク＆ボレー練習を紹介する。基本的な考えは、前衛は打ったらできるだけすばやくネットに詰めるということ。相手後衛の最初の返球時には、おそらくまだネットに詰め切れていない。後衛がスイングに入ったら、その場で待球姿勢を作り、ボレーの準備をしておく。ボレーの後は実際はさらにネットに詰めるが、ここではその場で後衛のストロークをローボレーなどで返し続ける。

トレーニングの進め方

時間▶10分

Step 1

前衛は打ったボールの方向に向かっていく

前衛はサービスを打った後、またレシーブを打った後、ネットに詰める。打つ位置にもよるが、ここでは打ったボールの方向に向かっていくイメージで動く

Step 2

後衛が打つとき前衛は待球姿勢を作る

後衛がストロークを打つ体勢に入ったら、その場で止まり、ラケットを正面に上げるように待球姿勢を作る。後衛は前衛の左右、正面などを狙って強打を打つ

Step 3

前衛はつなぐ意識でローボレーを磨こう

前衛はボレーで後衛に返す。決めようとせず、後衛につなぐ意識で。実戦では必ず出てくる場面なので、とくに前衛はローボレーのテクニックを磨いておく

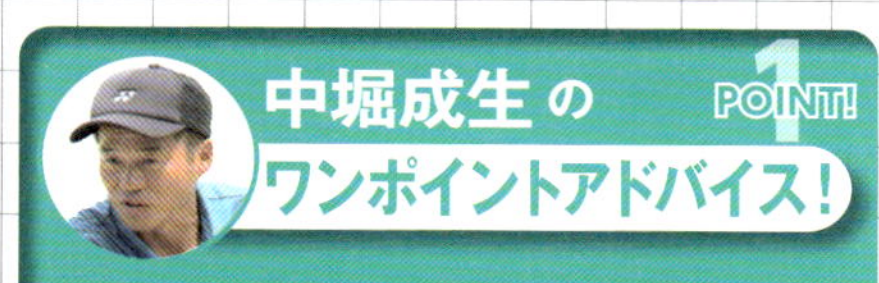

中堀成生の ワンポイントアドバイス! POINT! 1

後衛の返球が浮いたり甘かったら、前衛はハイボレーで積極的に確実に決めにいこう

ココを CHECK!

- □サービスおよびレシーブからの、ストロークとボレーを続けられたか
- □後衛は多彩なショットを織り交ぜたか
- □前衛はローボレーが向上したか

Part 5 実戦練習と戦術練習

コツ47 サービス側の3本目攻撃の練習

1球目と3球目に意図したボールで布石を打つ

トレーニングのねらい	３球目の攻撃で相手を完全に仕留め、次のボレーでポイントを取る戦術。パートナーと連携を深め、攻撃パターンを増やしていく

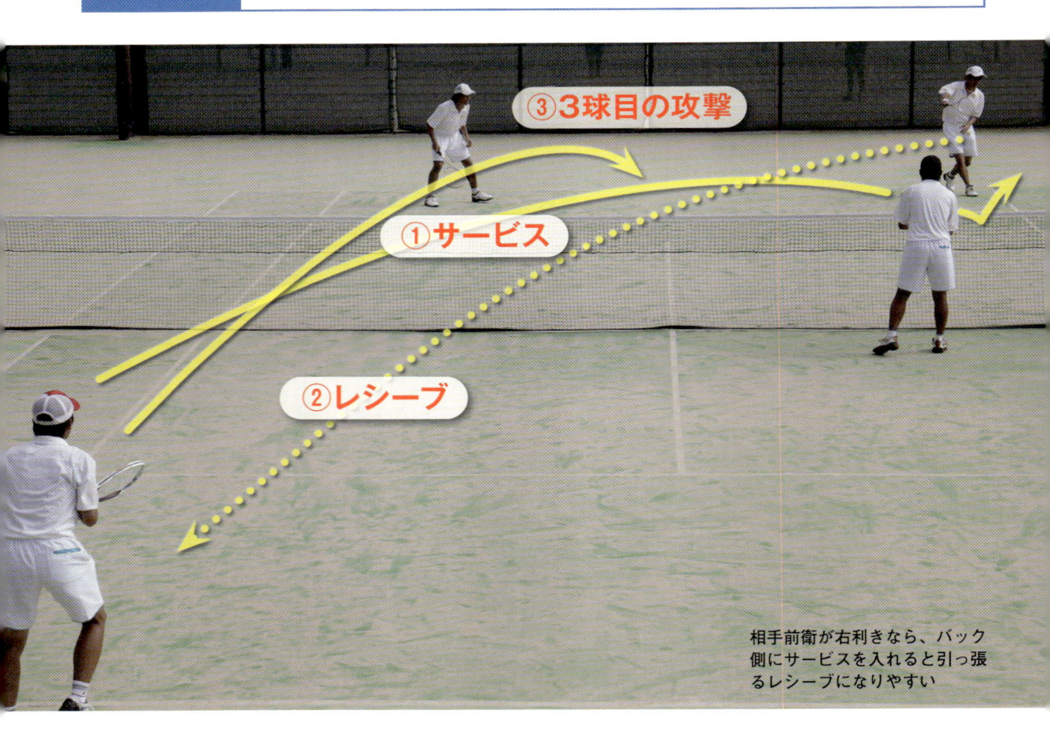

相手前衛が右利きなら、バック側にサービスを入れると引っ張るレシーブになりやすい

サービス後の３球目攻撃で相手の陣形を崩す

自分たちのサービスを１球目として、３球目の攻撃で陣形を崩す「3球目攻撃」。たとえば後衛が相手の前衛にサービスを打つ場面で、サービスを１球目と考える。相手のレシーブが２球目。レシーブされたボールを返すのが３球目だが、この３球目で相手の陣形を完全に崩すセンター狙いのショットを打ち、苦しまぎれに返ってきたボールをボレーなどで勝負を決める。

３球目に意図したボールで仕留めることで、相手を追い込んでいき、決定機を作り出す。

トレーニングの進め方

時間▶ 10分

Step 1

1球目のサービスが第1に打つ布石

たとえば１球目のサービスで相手のバックサイドを狙い、相手がレシーブを逆クロスに打ちやすい状況を作る。そうしたことを踏まえ、３球目の準備をする

Step 2

3球目のセンター攻めで相手陣形を崩す

３球目は相手の前衛が届かず、かつ後衛にとっても厳しいセンターを狙う。相手後衛が返球するのがやっとならば、こちらの狙いはズバリ的中だ

Step 3

ボレーで仕留める守られたら再構築を

前衛がボレーで確実に仕留める。もし相手の後衛がロビングなどでつなぎ、守備を立て直そうとしてきたら、無理して攻めない。改めて一から布石を打つ

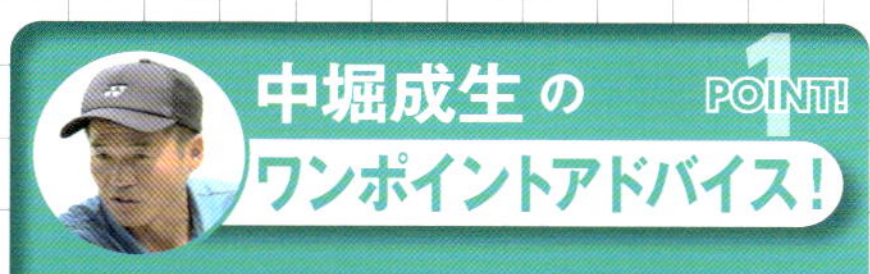

中堀成生のワンポイントアドバイス！ POINT! 1

３球目をどこに打てば相手陣形を崩せるか、いろいろなショットを試して攻撃パターンを増やしておこう

ココを CHECK!

- □ １球目に意図したサービスで布石を打てたか
- □ ３球目で確実に相手陣形を崩せたか
- □ ３球目攻撃のパターンを増やせたか

前衛がサービスの戦術練習

相手のレシーブを誘い出して ボレーで仕留めていく

トレーニングのねらい
前衛がサービスのとき、コースや強弱を使い分けたサービスで相手のレシーブを誘い出し、得意のショットで仕留める練習

後衛でも前衛でも、きちんとコースを突けるサービスを身につけておきたい

コースや強弱をつけたサービスがポイント

前衛がサービスのとき、レシーバーはストレート方向にいる後衛に返球するのが一般的。ただ、前衛に守備力がなかったり、前へのポジション取りが遅れていれば、そこを見逃さずに前衛を狙ってくるだろう。

そうした状況を逆手に取り、相手のレシーブをうまく誘い出して、ボレーで決めてしまうという戦術もある。そのためには、サービスを狙ったコースに打てる能力と、攻められたときに冷静に操れるボレーの技術が欠かせない。少し高度な技術になるが試していきたい戦術だ。

トレーニングの進め方

時間▶ 5分

Step 1

スイングと同時にすばやく前へ

相手のレシーブを誘い出すにも、コースを突くサービスを打ててこそ。右利きなら、スイングと同時に右足を踏み出すと、前への移動がスムーズにできる

Step 2

レシーブを誘い出しボレーで決める

たとえばレシーバーに、相手はクロスをきっちり守っているなと思わせると、無難にストレートに返球するか、センターを攻めてくる。そこをボレーで狙う

Step 3

安定したローボレーが決定力を高める

サービスを打ってネットに詰めていくと、サービスライン前後でローボレーをしなければならない場面が多くなる。ローボレーはしっかりマスターしたい

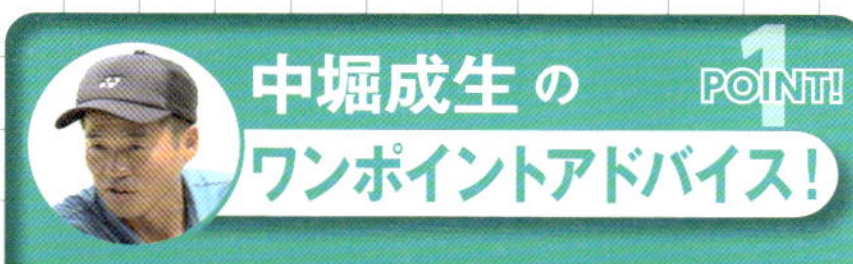

中堀成生の ワンポイントアドバイス！ POINT! 1

サービスでセンターを突くと、相手はレシーブの角度をつけづらい。折を見て狙うのが効果的だ

ココを CHECK!

- □サービスをきちんと入れられたか
- □レシーブを誘い出すようなサービスとネットへのダッシュができたか
- □誘ったボールをボレーできたか

コツ 49

前衛同士のサービスとレシーブの戦術練習

ネットに詰めきれていない前衛のスキを突くレシーブ術

トレーニングのねらい	相手前衛がサービスで、前衛の自分がレシーブのとき、両者ともに打ち終わったらネットに詰める。ここでのレシーブ方法を練習する

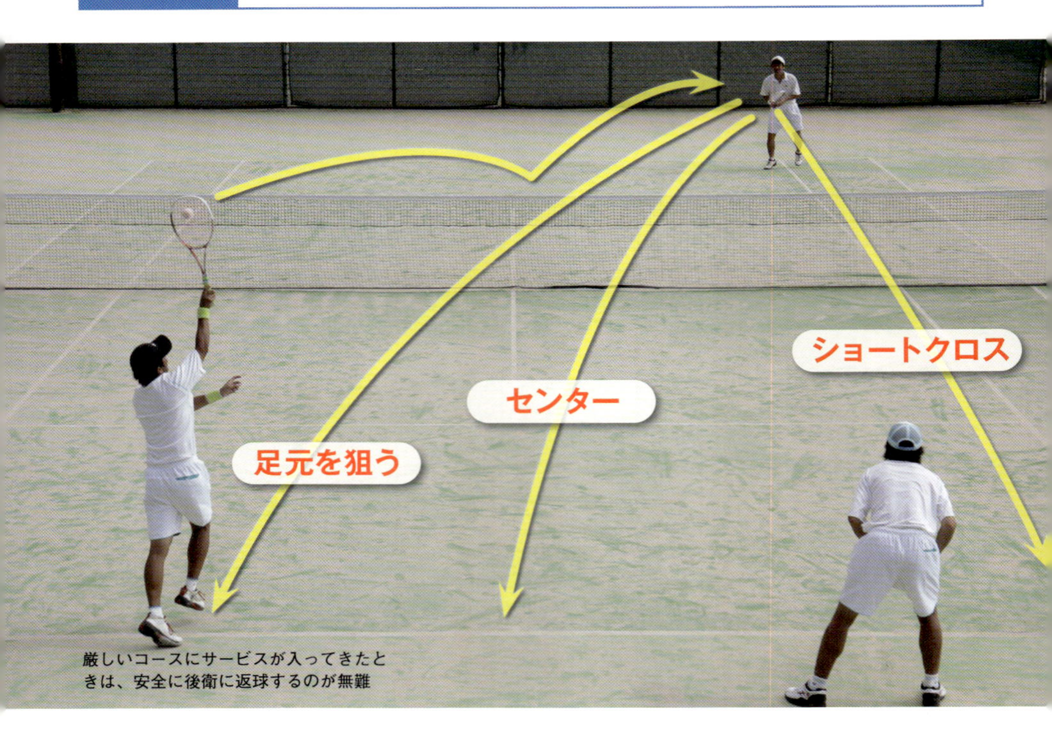

厳しいコースにサービスが入ってきたときは、安全に後衛に返球するのが無難

前衛の足元や身体の正面を狙う

相手の前衛がサービスで、前衛の自分がレシーブをする場面。両者ともに打ち終わったらネットに向かうが、こちらがレシーブする瞬間には前衛は大概ネットまで間に合っていない。そこを突き、有利なラリーに持ち込みたい。狙いどころは、ネットに詰め切れていない前衛の足元や身体の正面。また、カットサービスの対応策として、スライス回転をかけたショートクロスもマスターしておこう。直接、前衛のサイドにレシーブしなくとも、センターを突いて相手の陣形を崩すことも一つの手だ。

トレーニングの進め方

時間▶ 5分

Step 1

詰めてくる前衛のスキを見逃さない

相手の前衛はサービス後、ネットに向かってダッシュしてくるが、自分自身もレシーブ後にネットに出ていかなければならない。レシーブで優位に立ちたい

Step 2

センターを狙って相手の陣形を崩す

ネットに詰め切れていない前衛に対しては、ボレーのしにくい足元や身体の正面が狙い目。センターを突くレシーブでも相手の陣形を崩すことができる

Step 3

ショートクロスで相手の意表をつく

カットサービスに対してはスライス回転をかけたショートクロスで。ネット際に落とすテクニックがあれば、相手の意表をつくことができ、効果は絶大だ

中堀成生のワンポイントアドバイス！ POINT! 1

こちらのレシーブが甘ければ、当然そこを突かれてしまう。きっちりコース分けできるようにしよう

ココをCHECK!

□前衛がサービスのときの狙いどころとなるコースを理解できたか
□実際にそのコースにレシーブできたか
□ショートクロスをマスターしたか

ダブルフォワードの練習

ダブルフォワードで攻撃力をより高める

トレーニングのねらい	前と後ろという関係でなく、ペアの２人がともにネットに出て戦うダブルフォワード。「ボレボレー」の発展系として練習する

２人対２人でネットを挟んで向かい合い、一方のペアの後方から球出ししてスタート

相手のセンターを意識させワイドを狙う

ソフトテニスでは、１人が前衛、もう１人が後衛という陣形になるのが一般的。しかし、前衛のプレーが得意な２人がペアを組んだ場合や、ラリーの流れの中で２人がともに前にポジションを取る場合もある。それがダブルフォワードだ。

自分たちがダブルフォワードのとき、相手がダブルフォワードのときとで対処方法は変わってくるが、ここでは両方をミックスさせ、ダブルフォワード同士で打ち合う。相手のセンターを意識させて、ワイドに打つと効果的だ。

トレーニングの進め方

時間▶ 10分

Step 1

球出しがボールを出し互いに攻撃し合う

ボレーボレーのように２組のペアがネットを挟んで向かい合い、一方のペアの後ろから球出しがボールを出して始める。チャンスがあれば、得点を狙っていく

Step 2

ダブルフォワードはセンターのボールがカギ

ダブルフォワードの陣形では、攻撃する側も守備の側もセンターがカギ。センターを意識させておいてワイドを狙う戦術が有効だ

Step 3

攻撃的にできる一方で守備のリスクは高まる

ダブルフォワードになると、その試合、もしくはポイントでラリーになる展開が減る。攻撃的にいきたいときには有効だが、同時に守備のリスクは高まる

時間があれば、相手、もしくは自分たちだけがダブルフォワードになり、実戦を想定してプレーしてみよう

ココをCHECK!

- □ダブルフォワードの特性を理解したか
- □２人の連携で得点に結びつけられたか
- □相手や自分たちがダブルフォワードという状況を試せたか

ソフトテニスの陣形と戦術

ここでは、ソフトテニスの基本陣形やポジション、
ベースとなる攻撃戦術の考え方を解説します！

基本的な陣形

①雁行陣

ネット付近でボレーやスマッシュをする前衛と、ベースライン付近でストロークをする後衛が前後で斜めになって並ぶ、もっともオーソドックスな陣形。鳥のガンが飛ぶときの列の形からこの呼び名が来ている。

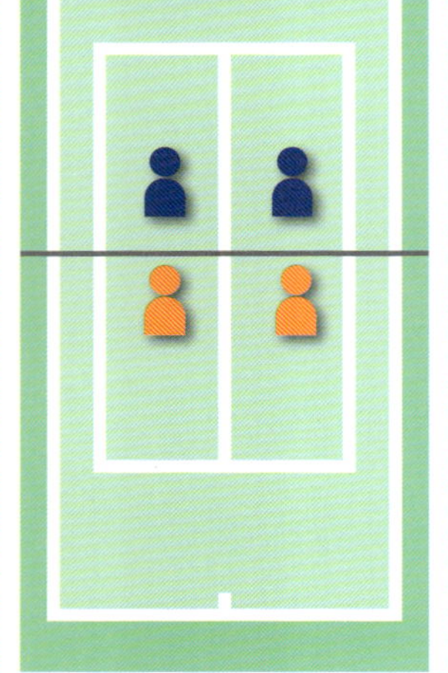

②ダブル前衛

２人がネット付近で、ほぼ平行に並ぶ陣形。テンポが速く、相手に余裕を与えないテニスができる。動きが少なく、スタミナを温存できる。決め技が増えるなどのメリットがある一方、甘いボールを打つと、すぐにピンチが訪れるリスクもある。

③ダブル後衛

２人がベースライン付近で、ほぼ平行に並ぶ陣形。ボレーやスマッシュを打たれてもフォローしやすいが、自ら決められる場面が少なく、相手のミスを待つことになるため、ラリーが長くなりやすく、スタミナを求められる。短いボールやセンターを攻められたときの対応がポイント。

基本的な前衛のポジション

前衛の基本的なポジションは…

①自分のコートのベースラインのセンターマークと、相手の後衛の打点を結んだ線上
②ネットからは約1.5mほど離れる

この両方を満たす位置に立つ。クロスやストレートなど、どんな展開になってもこれが基本のポジションになる。

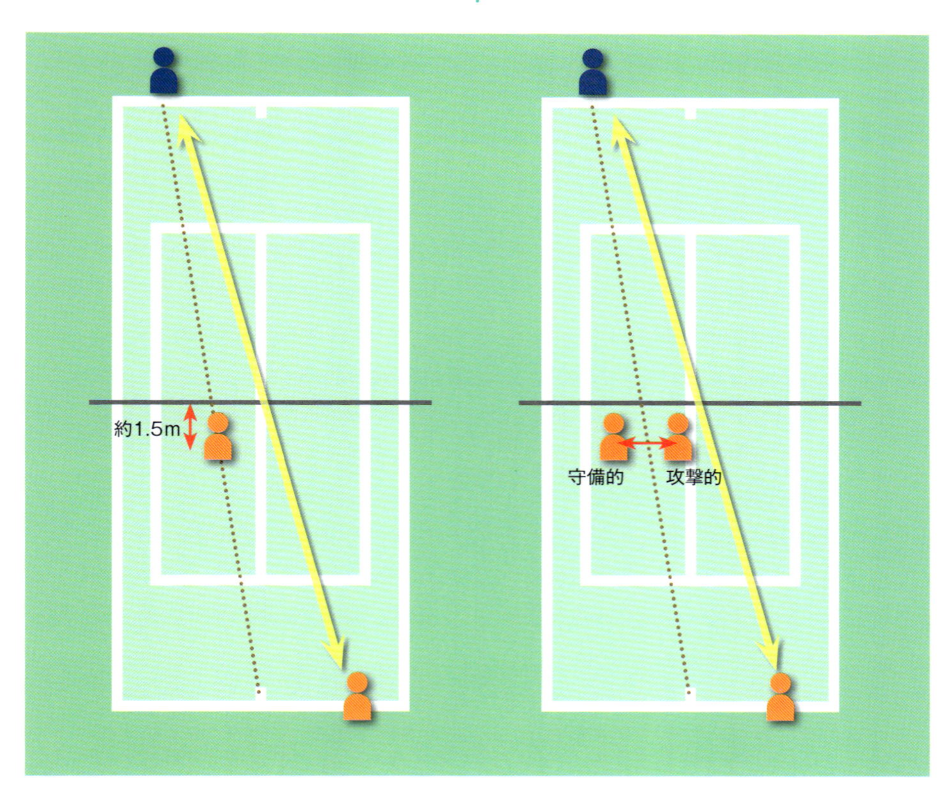

ただし、これはあくまでも基本。積極的にポイントを取りに行きたいときは、①の線上からさらに一歩ボールに近づけばいいし、サイドをしっかり守りたいときはラリーから一歩離れて準備しておけばいい。当然、積極的なポジション取りではサイドを抜かれるリスクが高まるし、守ってばかりいてはボレーで得点できるチャンスが少なくなる。どういうポジションを取るかは、相手との力関係や試合状況から判断して、パートナーと決めていこう。

前衛のポジションの例外としては、相手の後衛と自分の後衛がともにセンターマーク付近で、ロビングなどでラリーを続けている場合、パートナーである後衛の視界をふさいでしまう上、相手の後衛も打つコースを広く捉えることができてしまう。したがって、このようなケースでは、ラリーの最中に声を掛け合って（一般的には後衛が前衛に指示を出す）ポジションを変えるか、あらかじめペアでどうするかを決めておくようにする。

相手の後衛を左右前後に動かす戦術

相手の後衛とのラリーで互角、もしくは劣勢になる場合は、その後衛を左右前後に動かすことで状況を打開したい。
狙いどころとしては…

①ネット付近に落とす短い（浅い）ボール。クロス展開のラリーではショートクロス、ストレート展開のラリーではドロップショット（ツイスト）が有効。

②相手前衛の頭を越すロビング。クロス展開のラリーではストレートに、ストレート展開のラリーではクロスにロビングを上げる。スピードのある中ロブならより効果的。

当然、ショートボールが中途半端になれば相手の後衛に攻撃されてしまうし、ロビングが浅くなれば相手の前衛にスマッシュを打たれてしまう。ショートボールは短く、ロビングは深く打つことを徹底させよう。

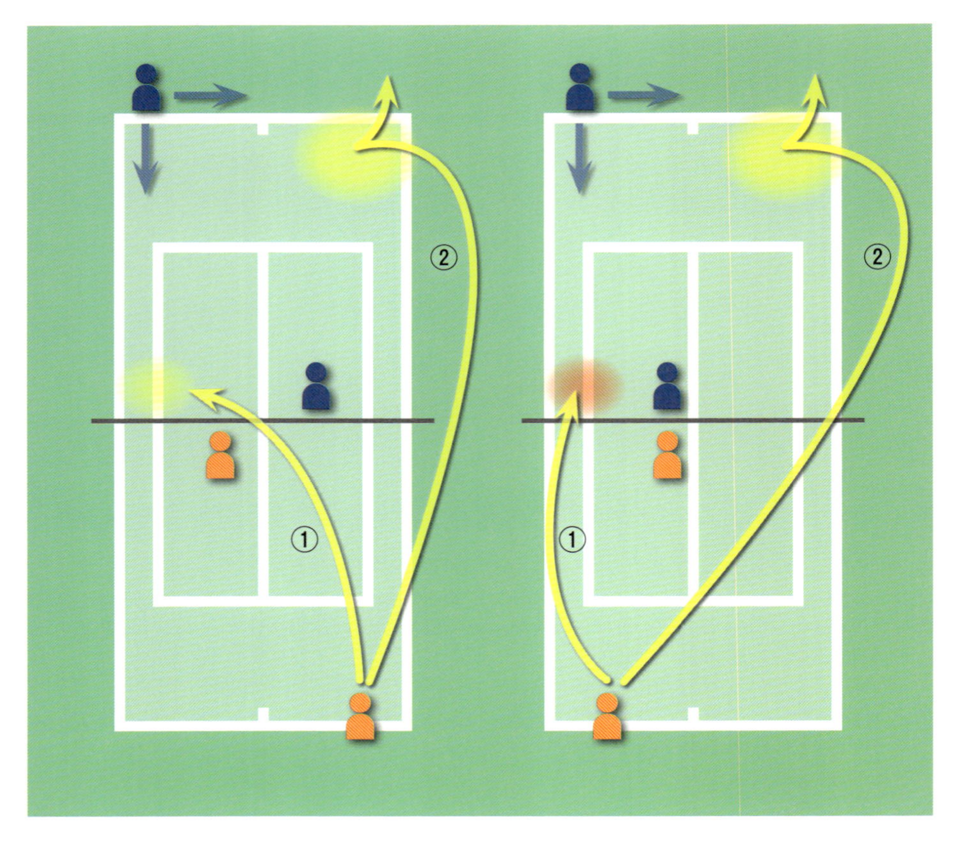

センターセオリーについて

互角のラリー時やチャンスボールの際に相手のセンターを狙うことができると、どんなメリットがあるのか。

①サイドを警戒している前衛は取りに行くのが難しく、定位置から動かされる後衛は余裕を持って攻撃し返すことができない。

②相手がダブル前衛やダブル後衛の場合、お見合いする可能性が生まれる。

③相手後衛の返球が角度をつけにくくなる。クロスのラリーでは前衛Ａはストレートのケアが必要になり、相手後衛が打てる範囲も広くなるが、センターから打つとなると前衛Ａが一歩センター寄りにポジションを取るため、後衛Ｂの守備範囲も狭く済ますことができる。

④一本のセンター攻撃でポイントにならなくても、相手後衛をセンターに寄せることでオープンスペースができる。そこを攻めてその後のラリーからチャンスボールを作り出す。

以上のことから、ラリーで主導権を握ったらセンターを積極的に突く戦術を使いたい。

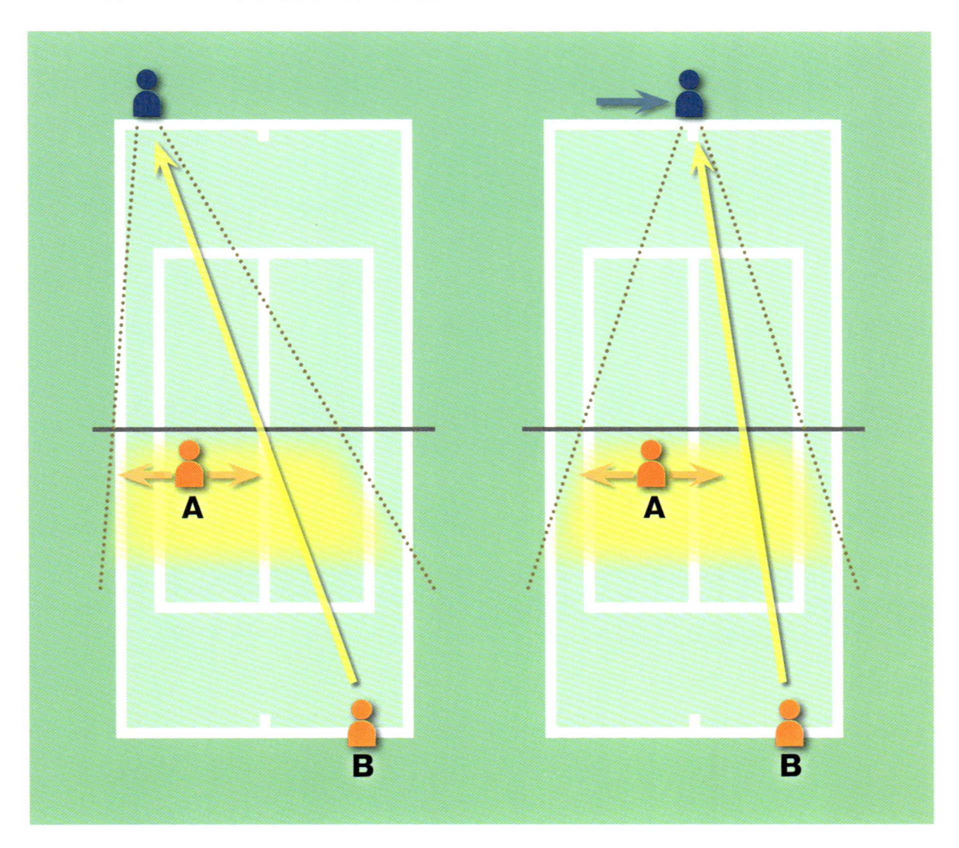

ポイントとステップのまとめ

トレーニング種目とポイント、ステップをまとめて一覧にしました。
参考にしていただき、その日の練習メニューを組むときに活用してください。

Part1　ウォーミングアップ

Part2　ストローク

Part3　ボレー&スマッシュ

Part5 実戦練習と戦術練習

監修者

中堀成生（なかほり・しげお）

1971年11月15日生まれ。兵庫県出身。香川西高、中央大学、実業団のNTT西日本広島に所属し、キレのある正確なストロークと巧みな試合運び、勝負強さを発揮し数多のタイトルを獲得。1993年からナショナルチーム（日本代表）として世界を舞台に戦いつつ、国内大会では天皇杯（全日本選手権）優勝9回、全日本インドア優勝8回、全日本シングルス優勝6回を誇る。2011年に第一線を退いた。現在は、日本代表男子ナショナルチームの監督として活動中。

主要戦績

国際大会

1995世界選手権、2000アジア選手権、2001東アジア五輪国別対抗団体戦優勝。2001東アジア五輪ダブルス優勝。2004アジア選手権ミックスダブルス優勝。1999世界選手権ダブルス準優勝。1997東アジア五輪シングルス3位。2000アジア選手権ダブルス3位。2004東アジア五輪ダブルス3位

国内大会

天皇杯優勝9回、全日本シングルス優勝6回。全日本インドア優勝8回

撮影モデル

堀　晃大
（ほり・こうだい）
1983年8月29日生まれ
後衛

舘越清将
（たてこし・きよまさ）
1983年9月9日生まれ
後衛

岩﨑　圭
（いわさき・けい）
1984年2月10日生まれ
前衛

水澤悠太
（みずさわ・ゆうた）
1984年4月16日生まれ
後衛

原　侑輝
（はら・ゆうき）
1984年4月16日生まれ
前衛

長江光一
（ながえ・こういち）
1987年10月28日生まれ
前衛

村上雄人
（むらかみ・ゆうと）
1988年9月9日生まれ
後衛

中本圭哉
（なかもと・けいや）
1989年10月25日生まれ
前衛

取材協力

NTT西日本ソフトテニスクラブ

日本のソフトテニス界をリードする、トップクラスの実力を誇るプレーヤーが所属。
日本で行われる主要大会で数多くの優勝を達成し、日本代表として多くの選手が活躍している。

勝つ! ソフトテニス 最強トレーニング50
トップ選手が実践する練習メニュー 新版

2022年12月20日　　第1版・第1刷発行

監修者　中堀 成生（なかほり しげお）
発行者　株式会社メイツユニバーサルコンテンツ
　　　　代表者　大羽孝志
　　　　〒102-0093 東京都千代田区平河町一丁目1-8
印　刷　株式会社厚徳社

ご意見・ご感想はホームページから承っております。
ウェブサイト　https://www.mates-publishing.co.jp/

編集長：堀明研斗　企画担当：堀明研斗／千代 寧

※本書は2018年発行の『勝つ! ソフトテニス 最強トレーニング50 トップ選手が実践する練習メニュー』を「新版」として発売するにあたり、内容を確認し一部必要な修正を行ったものです。